Comment développer
l'Estime de Nous

Catalogage avant publication de Bibliothèque
et Archives nationales du Québec et Bibliothèque
et Archives Canada

Renaud, Hélène

    Comment développer l'estime de nous

    (Collection Croissance personnelle)

    ISBN 978-2-7640-1534-6

    1. Parents et enfants. 2. Estime de soi. 3. Rôle parental. I. Bergeron, Michel-Jacques. II. Titre. III. Collection : Collection Croissance personnelle (Éditions Quebecor).

HQ755.85.R46 2010   306.874   C2009-942347-2

© 2010, Les Éditions Quebecor
Une compagnie de Quebecor Media
7, chemin Bates
Montréal (Québec) Canada
H2V 4V7

Dépôt légal : 2010
Bibliothèque et Archives nationales du Québec

Pour en savoir davantage sur nos publications,
visitez notre site : www.quebecoreditions.com

Éditeur : Jacques Simard
Conception de la couverture : Bernard Langlois
Illustration de la couverture : Istock
Conception graphique : Sandra Laforest
Infographie : Claude Bergeron

Imprimé au Canada

DISTRIBUTEURS EXCLUSIFS :

• Pour le Canada et les États-Unis :
MESSAGERIES ADP*
2315, rue de la Province
Longueuil, Québec J4G 1G4
Tél. : (450) 640-1237
Télécopieur : (450) 674-6237
* une division du Groupe Sogides inc.,
filiale du Groupe Livre Quebecor Média inc.

• Pour la France et les autres pays :
INTERFORUM editis
Immeuble Paryseine, 3, Allée de la Seine
94854 Ivry CEDEX
Tél. : 33 (0) 4 49 59 11 56/91
Télécopieur : 33 (0) 1 49 59 11 33

**Service commande France
Métropolitaine**
Tél. : 33 (0) 2 38 32 71 00
Télécopieur : 33 (0) 2 38 32 71 28
Internet : www.interforum.fr

**Service commandes Export –
DOM-TOM**
Télécopieur : 33 (0) 2 38 32 78 86
Internet : www.interforum.fr
Courriel : cdes-export@interforum.fr

• Pour la Suisse :
INTERFORUM editis SUISSE
Case postale 69 – CH 1701 Fribourg –
Suisse
Tél. : 41 (0) 26 460 80 60
Télécopieur : 41 (0) 26 460 80 68
Internet : www.interforumsuisse.ch
Courriel : office@interforumsuisse.ch

Distributeur : OLF S.A.
ZI. 3, Corminboeuf
Case postale 1061 – CH 1701 Fribourg –
Suisse

Commandes : Tél. : 41 (0) 26 467 53 33
Télécopieur : 41 (0) 26 467 54 66
Internet : www.olf.ch
Courriel : information@olf.ch

• Pour la Belgique et le Luxembourg :
INTERFORUM BENELUX S.A.
Fond Jean-Pâques, 6
B-1348 Louvain-La-Neuve
Tél. : 00 32 10 42 03 20
Télécopieur : 00 32 10 41 20 24

Gouvernement du Québec – Programme de crédit d'impôt pour l'édition de livres – Gestion SODEC.

L'Éditeur bénéficie du soutien de la Société de développement des entreprises culturelles du Québec pour son programme d'édition.

Nous reconnaissons l'aide financière du gouvernement du Canada par l'entremise du Programme d'aide au développement de l'industrie de l'édition (PADIÉ) pour nos activités d'édition.

Hélène Renaud et Michel-Jacques Bergeron

Comment développer
l'Estime de Nous

Pour une famille heureuse !

LES ÉDITIONS
Quebecor

Une compagnie de Quebecor Media

UNE FAMILLE

Une famille, c'est un ensemble de personnes qui ont des liens de parenté par le sang ou par alliance. C'est un ensemble formé par le père, la mère (ou par l'un des deux) et les enfants. C'est aussi une maman avec son enfant ou un papa avec un ou plusieurs enfants. Ce peut être aussi deux mamans ou deux papas avec un enfant. Elle peut être recomposée: famille conjugale où les enfants sont issus d'une union antérieure de chacun des conjoints.

Avant-propos

Dans les deux premiers livres que j'ai coécrits avec Jean-Pierre Gagné, *8 moyens efficaces pour réussir mon rôle de parent* et *Être parent, mode d'emploi*, nous avons développé deux modes d'intervention, l'un relationnel et l'autre comportemental, qui permettent aux parents d'aujourd'hui de vivre des relations harmonieuses avec leurs enfants et de combler leurs besoins les plus fondamentaux. Ils proposent aussi des façons de «récupérer», de réparer, si nous avons réagi, inconscients de l'impact négatif de certaines de nos interventions. En effet, un enfant peut complètement se transformer : un enfant égoïste peut devenir généreux, un enfant jaloux peut sortir de cette souffrance et mieux aimer ses frères et sœurs, un enfant qui bouge trop peut s'apaiser et devenir plus calme, tout comme un enfant qui a un rythme lent peut avoir le goût d'apporter sa participation plus rapidement. Un enfant colérique et frustré apprend à s'exprimer tout en se sentant compris. Un enfant qui a de la difficulté à écouter améliore cette capacité. Un enfant irrespectueux peut développer le respect et un enfant ingrat peut devenir reconnaissant de la même façon qu'un enfant qui essaie d'attirer l'attention ou un enfant soumis et effacé peuvent prendre leur place au sein de la famille d'une façon équilibrée.

Je racontais à Michel-Jacques, avec qui j'ai écrit le présent ouvrage, l'immense transformation qui s'est opérée chez mes enfants à l'application de ces pistes. Moi qui définissais ma fille comme égoïste et qui l'accusais d'être la cause du rejet qu'elle vivait de la part des autres, j'ai pu me reprendre, et d'étonnants changements se sont produits. Aujourd'hui, cette jeune fille est d'une générosité exceptionnelle, très responsable et a des amis qui apprécient sa compagnie, attirés par sa simplicité et l'amour sincère qu'elle dégage. Mon fils, d'une intelligence remarquable, rayonne d'une belle simplicité aujourd'hui. Ces enfants sont naturellement reconnaissants et me témoignent leur gratitude. Ils m'apportent énormément.

Michel-Jacques me racontait que son fils, à l'adolescence, vivait certains problèmes susceptibles de miner la confiance que lui et sa mère lui manifestaient. Ils ont continué malgré tout à croire en lui et à l'épauler, le sachant capable de dépasser ses difficultés. Aujourd'hui, ils ont une relation saine où chacun témoigne son amour inconditionnel envers l'Autre.

Notre test «Évaluation des attitudes et comportements de l'humain», sur notre site Web www.commeunique.com ou dans le livre *Être parent, mode d'emploi*, permet de cibler les besoins qui ne sont pas comblés et d'agir rapidement pour refaire l'Estime personnelle de l'enfant. Ce nouveau livre, *Comment développer l'Estime de Nous : pour une famille heureuse !*, propose quant à lui une démarche globale et unique qui trace un chemin vers l'épanouissement intérieur de chacun des membres de la famille, enfants et parents. Chacun découvrira à l'intérieur de lui un guide et complice aimant avec lequel il pourra grandir et devenir maître de sa vie. Le modèle que nous présenterons à nos enfants de ce que nous aimerions qu'ils développent aura aussi une grande importance dans la démarche que nous poursuivrons.

Il se peut que vous trouviez certains passages répétitifs. Ces répétitions sont volontaires, compte tenu du désapprentissage des automatismes négatifs nécessaire à l'acquisition de nouveaux apprentissages positifs. En outre, nous avons employé un langage simple ponctué de nombreux exemples pour rendre cet enseignement des plus concrets. Notre approche ne se base sur aucun concept psychologique. Elle se veut uniquement relationnelle.

INTRODUCTION

Comment développer l'Estime de Nous : pour une famille heureuse ! propose aux parents qui élèvent leurs enfants en couple ou seuls, ainsi qu'aux grands-parents, une approche facile, concrète qui ne demande aucun effort sauf d'abandonner et de laisser aller tous leurs jugements, leurs fausses perceptions, leurs comparaisons, leurs manques d'amour envers eux-mêmes et envers les autres.

Pourquoi avez-vous acheté ce livre ? Son titre propose au lecteur parent de l'amener à vivre des relations harmonieuses. Tous en rêvent, mais peu y parviennent. Vous avez probablement été attiré en rêvant à des solutions miracles et, selon votre vécu, des images de paix et de joie ont émergé dans votre esprit.

Laissez-vous bercer par ces exemples qui peuvent concerner votre enfant :

- Il range au fur et à mesure.
- Il m'écoute tout de suite.
- Il m'offre son aide.
- Il est généreux.
- Il aime sa petite sœur et en prend soin.
- Il a de l'assurance, est déterminé.
- Il est respectueux.
- Il a confiance en lui et beaucoup d'estime personnelle.
- Il me démontre son affection, sa fierté de m'avoir comme parent.
- Il fait ses travaux scolaires de lui-même et avec enthousiasme.
- Il apporte sa participation en se dépêchant le matin.
- Il se couche à l'heure convenue.
- Il ne fait jamais de colère.

- Il poursuit de grandes études.
- Il aime aider son frère et ne se dispute jamais avec lui.

Vous croyez que c'est de la fiction, n'est-ce pas? Eh bien, pas tout à fait! Ne perdez surtout pas ce rêve, ces images et ce sentiment de bien-être. Tous peuvent l'atteindre; il suffit de suivre ce guide, tel que proposé, et d'établir une complicité avec vos enfants. Soyez assuré que les Actions Aidantes Aimantes proposées dans ce livre vont apporter d'une façon très concrète et surprenante une transformation chez vos enfants et en vous-même. Garantie assurée d'une famille heureuse à l'application de ces pistes!

Cette approche relationnelle peut s'étendre à toutes vos relations, qu'elles soient intimes, familiales, sociales ou professionnelles. Elles seront aussi nourrissantes que vous le souhaitez, et c'est *vous* qui aurez provoqué ce changement en ayant tout simplement une autre perception. À coup sûr, vous en sortirez gagnant et vous serez heureux de savoir que tous en tireront des avantages. N'en doutez pas, les résultats qu'apportera l'application de ces pistes sont incontestables. Elles vous aideront dans toutes vos relations, même... avec votre belle-mère! Preuve de l'efficacité de notre approche!

Maintenant que vous avez commencé à lire ce livre, vous ne pouvez plus revenir en arrière: vous avez déjà cultivé et semé une graine en imaginant votre rêve accompli. Vous venez de graver en vous l'idée et la vision que cela est possible; vous savez intuitivement que vous avez *tout* pour l'accomplir. Tous les parents et enfants d'une même famille développeront l'habileté à être guides et complices. Déjà, tout ce qui est nécessaire pour la réussite de votre but est mis en place.

- Ce guide peut être lu, appliqué et intégré par un individu seul, dans toutes ses relations: enfants, parents, famille, amis, collègues, ex-conjoint, etc.
- Si vous avez un conjoint, vous pouvez appliquer ces pistes ensemble.
- Certaines pistes seront à travailler avec vos enfants, pour que tous développent l'Estime de Nous.

Toutes les pistes que nous vous proposons, nous les avons expérimentées à travers nos formations. Et ça fonctionne! Plusieurs parents, enfants, familles, enseignants et éducatrices en milieu scolaire et en garderie se sont littéralement transformés depuis plus de dix-sept ans. Il ne s'agit plus de théories mais d'applications concrètes qui atteignent les objectifs escomptés. Les résultats en témoignent! Les témoignages sont renversants! En voici quelques-uns:

- «Je suis intervenant social. C'est le contenu de ce cours qui aurait dû m'être enseigné à l'université. Ce cours aura également changé ma façon d'intervenir auprès des familles que je rencontre. J'ai adoré les rencontres, c'est tellement enrichissant.»

Sébastien Larrivée, travailleur social

- «Le cours suivi l'automne dernier a changé ma vie... J'ai vraiment du plaisir avec mes enfants et je songe même à en avoir d'autres. Maintenant, je suis consciente de l'impact que j'ai sur mes enfants et je ne prends pas cette responsabilité à la légère. J'aimerais que tout le monde puisse suivre vos cours. Merci beaucoup.»

Josée Chouinard, représentante

- «J'ai suivi votre formation en compagnie de mon conjoint. Grâce à vous, j'ai appris à être mère. J'adore mes enfants et je sais maintenant comment leur montrer concrètement dans le quotidien. C'est avec beaucoup d'émotion et de gratitude que je vous dis merci mille fois.»

Caroline Dontigny, maman à la maison

Fini la culpabilité!

Cet ouvrage propose de remettre l'amour et le respect au cœur de la relation. Et la relation, c'est Nous. Nos enfants plus que jamais ont besoin de Nous. Ce qui est le plus important pour un enfant, c'est sa relation d'amour avec son parent, ou la personne la plus déterminante dans sa vie. Et ce qui est aussi important pour un enfant ou un adolescent, c'est sa famille: le noyau familial, c'est son cœur. Rappelez-vous, lorsque vous étiez enfant, quelle importance avait pour vous votre famille. C'était votre sécurité. C'est ce qui déterminait votre capacité à être heureux ou malheureux. Encore aujourd'hui, votre famille, c'est votre cœur, votre noyau, et inévitablement vous voulez créer quelque chose de bon.

Nous apprendrons à devenir l'Auteur de notre vie. Selon nos choix, nous pourrons vivre du Bon à chaque instant. Sortons nos crayons et notre page blanche. Pas besoin d'avoir un baccalauréat pour comprendre ce qui suit. Chacun de nous possède intérieurement l'art du Bonheur. Nous avons tous le talent de créer avec la puissance de ce que nous sommes, par de petits gestes simples, comme dire à nos enfants: «Ma famille est importante pour moi!» Voilà la première phrase que nous venons d'écrire. Nous en découvrirons ensemble des centaines d'autres qui nous permettront de soulever des montagnes!

Fini de culpabiliser les parents! Personne n'est coupable, nous sommes tout simplement responsables d'apporter les modifications à ce qui nous fait souffrir. C'est tout.

Les parents d'aujourd'hui mènent des vies trépidantes, et le manque de temps vient souvent contrecarrer les impulsions d'amour. Les pistes que nous vous proposons tiennent compte de cette réalité. Donner de l'importance à un enfant ne veut pas dire lui consacrer deux heures chaque jour, mais bien lui réserver un temps d'arrêt qui peut durer seulement quelques minutes. Toute la différence est dans notre manière d'être avec lui, en étant réellement présent, en lui confirmant que nous avons du temps juste pour lui – «J'aime passer du temps avec toi», «J'aime t'écouter», «Comme je suis chanceux d'être ton papa (ta maman)!» – ou en lui montrant dans notre agenda qu'il y a un temps réservé pour lui. Le toucher, prononcer son prénom en l'accueillant véritablement pendant ce court moment fera toute la différence. Par contre, nous ne voulons pas opposer quantité à qualité. Une quantité minimum est nécessaire.

Les buts

Comment développer l'Estime de Nous: pour une famille heureuse! a pour but de permettre au parent d'aujourd'hui d'être guide et complice en même temps, c'est-à-dire de sortir des rôles autoritaires ou permissifs et de :

- créer dans sa famille un climat empreint de chaleur humaine, un climat aimant et sécurisant où il fait bon vivre ;
- encadrer ses enfants avec une fermeté empreinte de conviction tout en étant bienveillante et aimante ;
- vivre un Bonheur constant, conscient de la valeur du Nous, tout en revendiquant le Bon et rien que le Bon, qui nous appartient de droit.

Seuls ou isolés de l'Autre, nous pouvons difficilement vivre la joie. À l'inverse, dans le partage d'une relation saine, nous pouvons connaître cet état d'un Bonheur partagé. Sans l'Autre, il n'y a pas d'amour.

Sans la bonté, je ne peux atteindre le Bonheur et l'abondance. Pour que je touche au Bonheur, ma vie ne doit s'imprégner que de Bon.

Dans son livre *L'art d'être bon*, Stephan Einhorn rapporte qu'il interrogeait des gens sur leur choix des qualités qu'ils aimeraient le plus posséder entre la bonté, l'intelligence, la créativité, une grande compétence professionnelle, l'humour et la richesse. Plus de 90 % ont choisi la bonté. Il est donc évident que cette vertu est une aspiration que de nombreuses personnes mettent au premier plan. Plusieurs ne reconnaissent pas qu'ils ont cette bonté en eux, cachée par un filtre de protection provoqué par leurs peurs, parce qu'ils croient que manifester le Bon serait une faiblesse qui encouragerait les autres à les manipuler. C'est pour cette raison qu'il leur est difficile de défaire ces croyances ou ces blocages qui leur font croire qu'ils ne peuvent vivre ce Bon en tout temps.

Voici un extrait d'un article du *Lighthouse* de septembre 2006 qui nous en fournit la preuve et nous touche droit au cœur.

« Sois bon, car chacun que tu rencontres livre une dure bataille. »

Considérons la situation suivante, qui dans son contenu nous serait familière : nous conduisons sur un parcours très achalandé, anxieux d'atteindre notre destination. La circulation devient un embouteillage, et de fait, nous manquons un autre feu vert. Finalement, notre tour semble venir, car il n'y a que quelques voitures devant nous dans notre travée. Le feu passe au vert et les voitures commencent à avancer, excepté celle qui se trouve juste devant nous. Le conducteur ne semble pas regarder la route et notre patience, déjà épuisée, fait place à la rage. Nous martelons le volant et notre fureur semble ne pas avoir de limite alors que nous explosons, un juron n'attendant pas l'autre à propos d'un certain type de conducteurs qui sont d'un certain genre... Et nous nous sentons tout à fait justifiés d'avoir cette réaction. Cependant, à un moment donné, nous réalisons que le conducteur fautif n'est pas inattentif à la route, mais qu'il est affaissé sur son volant. Notre rage disparaît soudainement alors que nous nous précipitons tout bonnement au secours de l'automobiliste et que nous reconnaissons maintenant qu'il est en état d'urgence médicale. La situation extérieure n'a pas changé concernant notre besoin d'arriver à l'endroit où nous désirions aller – nous sommes encore contrecarrés dans l'atteinte de notre but –, mais notre réaction a certainement changé. En reconnaissant que le délai n'était pas la « faute » de l'autre personne, et qu'ainsi nous n'avons pas à le prendre personnellement, notre perception a changé et la méchanceté a fait place à la bonté.

Kenneth Wapnick, Ph. D.

À la lumière de cette prise de conscience, développons l'habileté à voir le Bon, ce Bon qui est caché derrière nos jugements et nos attaques, et mettons en œuvre une nouvelle manière d'être en relation – l'Estime de Nous – sans avoir à l'esprit ces nuages noirs qui troublent notre perception et nous empêchent d'avoir une vision juste et vraie de la réalité.

La pierre d'assise : le Bon

L'Estime de Nous propose une approche intérieure et globale qui tient compte du fait que notre maison extérieure est le symbole et le reflet de notre maison intérieure, là où nous habitons réellement.

Dans la première partie de ce livre, nous verrons l'importance d'établir des fondations solides. Même si elle est belle, ma maison s'écroulera tôt ou tard si elle a de mauvaises bases. Cette partie cachée de la maison est la plus importante et nous l'établirons sur le roc, notre pierre d'assise : le Bon.

Cette pierre d'assise sur laquelle reposeront les piliers de la structure de notre maison viendra soutenir tout l'enseignement de ce livre. Alors, commençons la construction et déposons-la doucement. Ainsi, pour nous-mêmes et pour notre famille, nous érigerons une demeure solide et un environnement intérieur où nous et nos enfants serons heureux de vivre. Cette pierre d'assise consistera à ne donner à Moi et à l'Autre que ce qui est Bon pour Moi, Bon pour l'Autre (mon conjoint, mes enfants, ma famille) et Bon pour la relation entre Nous. Ces trois Bons établissent un repère facile pour savoir si je suis dans l'Estime de Nous. De plus, un extra-Bon sera, par le Bonheur que chacun d'entre Nous vivra ; cela sera Bon pour toutes les personnes que nous rencontrerons. Voilà l'étendue que provoque l'Estime de Nous.

Les piliers relationnels

Trois piliers soutiendront toutes les pistes proposées à travers ce livre. Chaque action accomplie dans l'esprit de l'Estime de Nous sera

toujours élevante, c'est-à-dire qu'elle ne s'accomplira que dans l'énergie pour faire grandir et ennoblir : pour porter à un degré supérieur.

Estime de Nous. C'est considérer ma valeur et celle des autres, sans aucune exclusion. Quand j'élève, je m'élève ; quand j'abaisse, je m'abaisse.

Responsabilité. Je suis l'Auteur de ma vie, conscient que tout part de moi. Je prends en charge mon bien-être, Moi et l'Autre – Nous –, pour établir l'égalité au niveau de l'être.

Donner. Je reçois ce que je donne. Je suis conscient que ce que je donne, je ne le donne qu'à moi-même, parce que Moi, c'est Moi et l'Autre.

On sème parce qu'on s'aime : ne nourrir que de Bon

Chaque parent possède en lui les qualités du guide et du complice. Ces deux parties sont aimantes et nécessaires, se complétant l'une l'autre. Donc, le parent sera guide et complice en même temps. La partie guide procure un environnement structuré (structure encadrante).

La partie complice, aimante, plante des graines de bienveillance dans le climat familial. Elle ne sème que du Bon pour ne pas laisser de place aux mauvaises herbes (comportements dérangeants), comme le suggère le titre du livre *Arrosez les fleurs, pas les mauvaises herbes !* de Fletcher Peacock.

Plus le parent va semer serré (abondamment), plus les comportements dérangeants vont se retrouver à l'extérieur, en périphérie de la vie familiale, et vont s'estomper de plus en plus et finir par disparaître. Voici les clés du succès pour développer et nourrir l'Estime de Nous :

- avoir le sentiment de l'importance de ce que je sème dans ma famille et de sa valeur inestimable pour Nous, Moi et l'Autre (tous) ;
- être conscient que je tends vers ce qui est très élevant pour Moi et les générations futures, donc quelque chose de très grand, puisqu'il s'étendra et profitera à tous ceux qui me suivront.

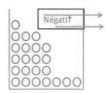

Première partie

L'Estime de Nous

CHAPITRE 1

Mettons en lumière l'Estime de Nous

Moi et l'Autre (tous)

Depuis plus de cinquante ans, nous parlons de l'importance de développer notre estime personnelle, un courant qui nous a permis de sortir de l'esprit de sacrifice : un pas énorme dans la conscience de l'être. Cependant, ce mouvement nous a conduits à l'autre extrémité du balancier, l'égocentrisme, ce qui a creusé un fossé encore plus grand entre les êtres. On sait maintenant que cette façon de penser n'a pas obtenu le résultat recherché : atteindre le Bonheur.

L'Estime de Nous vient remettre un équilibre entre le sacrifice (je ne pense qu'à l'Autre) et l'égocentrisme (je ne pense qu'à moi). Malgré que certains parents accomplissent énormément pour leurs enfants, ils continuent à les abaisser aussitôt que les comportements de ceux-ci les dérangent. Ou, à l'inverse, ils s'oublient et ne pensent qu'à l'estime personnelle de leurs enfants, créant en eux le sentiment que tout leur est dû. Les parents d'aujourd'hui ne veulent plus vivre ces extrêmes. Nous sommes actuellement arrivés à un niveau de conscience plus élevé, qui permet d'atteindre l'équilibre entre Moi et l'Autre. Nous considérerons l'Autre comme représentant toutes les personnes que nous rencontrons. Que ce soit des personnes que nous aimons ou que nous jugeons, toutes sans exception sont incluses dans le Nous. Cette estime doit donc s'étendre au Nous, c'est-à-dire à tous les humains qui font partie de notre vie.

La véritable Estime de Nous, c'est lorsque je n'ai pas un intérêt séparé de celui des autres. Si je n'ai d'intérêt que pour moi, cela est sans intérêt parce que mon égoïsme peut nuire aux autres, alors qu'un intérêt partagé se multiplie à l'infini, ouvrant la porte à un Bonheur constant.

Certains d'entre nous n'arrivent pas à ressentir véritablement de l'estime personnelle parce que les moyens suggérés pour y arriver proposent de prendre soin de soi, de s'accorder du temps, de remarquer ses forces, etc. L'erreur commise est de tenter de développer notre estime en observant le positif en nous tout en continuant à relever le négatif chez les autres. Comment puis-je développer véritablement mon estime personnelle en étant quelqu'un qui continue à juger et à dénigrer les autres ? Quand j'élève l'Autre, je m'élève. Quand j'abaisse l'Autre, je m'abaisse aussi. Aucun ancrage d'estime réel ne peut se réaliser, il y a plutôt « désestimation » de soi et des autres. Tout cela n'est pas très élevant... Comment puis-je reconnaître la valeur de l'humain si l'appréciation que j'en fais est de faible valeur, que ce soit la mienne ou celle de l'Autre ?

Lorsqu'il s'agit de l'utilisation de mon temps, j'adopte la même attitude : beaucoup pour moi, et peu ou pas du tout pour les autres. Ou encore, je suis présent physiquement mais pas intérieurement. Je demande à l'Autre « Comment vas-tu ? », et je n'écoute même pas la réponse. Je partage une activité avec mon enfant, et mon esprit est accaparé ailleurs, par mes occupations personnelles.

Observons deux approches extrêmes qui caractérisent certains parents d'aujourd'hui :

Première approche. Le parent qui a tendance à se sacrifier.

- Il consacre trop de temps à son enfant.
- Il survalorise son enfant.
- Il écoute ses moindres caprices.
- Il a une confiance naïve en lui.
- Il exagère ses talents.
- Il accepte tout, sans encadrement.

L'appréciation qu'il a de son enfant n'est pas réaliste.

Ce que vit le parent pendant ce temps...

- Il ne se consacre aucun temps.
- Il s'abaisse, se néglige, se diminue.
- Il se juge, se compare.
- Il est impatient, se sent victime.
- Il n'écoute pas ses propres besoins.
- L'appréciation qu'il a de lui est de faible valeur.

Résultat : Il attribue beaucoup de valeur à son enfant, mais peu à lui ; il s'oublie.

Deuxième approche. Le parent qui a tendance à être égoïste.

- Il s'accorde beaucoup d'importance.
- Il se perçoit positivement en se leurrant.
- Il s'écoute beaucoup.
- Il se sécurise en s'entourant d'objets matériels.
- Il se vante de ses réussites.
- Il n'a d'amour que pour lui.

L'appréciation qu'il a de lui est égoïste.

Ce que vit le parent avec son enfant pendant ce temps...

- Il consacre peu ou pas de temps à son enfant.
- Il lui parle en l'abaissant, en le diminuant.
- Il lui fait la morale et le culpabilise.
- Il répète avec impatience, menace, argumente, crie.
- Il ne l'écoute pas et ne tient pas compte de ce qu'il vit.
- L'appréciation qu'il a de son enfant est de faible valeur.

Résultat : Il s'attribue beaucoup d'importance ; il en reste peu pour son enfant.

Ces deux façons de faire créent des déséquilibres relationnels. L'Estime de Nous propose une relation d'égal à égal au niveau de l'être et se base sur notre pierre d'assise : n'agir que lorsque les deux – le parent et l'enfant – peuvent se dire intérieurement : « C'est bon pour Moi, bon pour l'Autre et bon pour la relation entre Nous. »

Évaluer la valeur de ma famille

Savez-vous pourquoi nous décidons d'avoir des enfants ? C'est parce que nous ne voulons pas être seuls et que nous sommes conscients d'un débordement d'amour à l'intérieur de nous, que nous aimerions offrir et étendre.

Au fil des ans, en donnant nos formations[1], nous avons découvert que le parent autoritaire, qui est dur envers ses enfants, se place en avant et donne ses ordres, ce qui inférorise l'enfant et l'éloigne de lui. N'étant pas capable de communiquer avec une complicité aimante, ce parent se retrouve seul dans sa position, et l'enfant aussi. À l'inverse, le parent permissif est dur envers lui-même et met son enfant en avant de lui en tolérant tous ses caprices, ce qui donne un sentiment de supériorité à l'enfant (enfant roi). Le parent n'arrive pas à avoir une fermeté bienveillante. Cette façon de faire éloigne l'enfant du parent ; les deux se sentent seuls.

Nous, les parents qui aimerions entrer en relation et quitter ce sentiment de solitude, privilégions l'approche guide et complice, qui offre la possibilité de nous élever en même temps que notre enfant, d'être à côté de lui en lui indiquant la direction vers des valeurs saines que nous vivrons dans une véritable relation mutuellement nourrissante.

Allumer mes lumières me permettra d'agir en toute conscience parce que j'identifierai la valeur de ce sur quoi je choisis de mettre l'éclairage en ayant toujours bien en vue mon objectif: le Bonheur pour moi et les miens. J'obtiendrai inévitablement la joie, le calme, la détente et, surtout, la paix d'esprit. Quels avantages avons-nous à

---

1. La formation *Parent-guide, parent-complice* est donnée depuis plus de dix-sept ans au Québec, et maintenant en Europe. Elle permet de créer des relations véritablement nourrissantes entre parents et enfants et s'étend à toutes leurs relations.

vivre dans la noirceur quand la simple décision d'ouvrir nos lumières et de les laisser allumées peut transformer toute notre vie et faire la différence ?

La lumière de l'élévation

Élever

Élever, c'est amener un enfant à un plein épanouissement intérieur. C'est l'accompagner pour lui permettre de développer son plein potentiel afin qu'il puisse le mettre à son service et au service des autres. L'élever, c'est le faire progresser étape par étape pour qu'il parvienne à maturité et soit suffisamment autonome. Élever, c'est m'impliquer et permettre à mon enfant de s'impliquer. Nous allumerons nos lumières pour élever l'Autre et pour nous élever en même temps, et ensemble nous construirons un environnement nourrissant pour Nous.

Qu'est-ce que je veux bâtir avec ma famille ? Une maison solide qui m'offrira la sécurité, et ce que je vais construire ne me quittera jamais. Si j'ai acquis l'assurance et le respect à l'intérieur de moi, jamais on ne pourra m'enlever ces valeurs que j'aurai semées dans ma terre intérieure. Elles ne pourront m'apporter que l'élévation à laquelle j'aspire. J'érige — je construis du solide – à la verticale, vers le haut, pour Nous.

Rappelons-nous l'histoire des trois petits cochons, cette métaphore évoquant la période où il y eut un exode rural vers les grandes villes qui a favorisé l'individualisme et l'égocentrisme. Chacun à cette époque voulait vivre une « expérience personnelle », tout comme les trois petits cochons qui s'ennuyaient dans leur campagne et voulaient vivre leur propre expérience, chacun de son côté. Ils partent donc, avec leurs croyances et leurs valeurs, afin d'atteindre leurs idéaux. Le manque de solidité sur laquelle le premier bâtit ses valeurs et sa sécurité le ramène très vite à la réalité : ses valeurs (la paille) se sont envolées au premier coup de vent ! Il s'enfuit chez son frère. La symbolique du deuxième petit cochon est intéressante à mettre en lumière parce que, dans l'histoire originale, sa maison était faite d'épines. Ce type de construction porte à croire qu'on sera plus en sécurité en utilisant la défensive et l'attaque, même si l'on peut se blesser soi-même et blesser les autres, ce que la maison de bois ne fait pas ressortir dans les versions suivantes. Mais poursuivons l'histoire. Nos deux petits cochons, avec ces valeurs d'attaque et de défense, n'arrivent pas à résister à l'adversité. Ils s'enfuient donc chez leur frère, qui a bâti sa maison sur des valeurs solides (brique et ciment). Ce dernier s'empresse de les accueillir et ensemble, protégés par des valeurs solides tout en *collaborant les uns avec les autres*, ils traversent l'épreuve (le loup) et atteignent la sécurité.

Selon Hans Selye, auteur du livre *Le stress sans détresse*, les plus grandes souffrances chez l'être humain se vivent dans les relations qu'il entretient avec les autres et qui procurent un haut taux d'insécurité lorsque vécues négativement. Il est donc urgent de connaître des moyens relationnels favorisant des relations harmonieuses avec tous ceux que nous côtoyons. Il est facile d'imaginer qu'une relation malsaine aura de l'influence sur toutes mes autres relations et sur ma relation avec moi-même, puisque j'en serai affecté. Prenons l'exemple d'une main. Chaque doigt représente une relation. Supposons que mon pouce symbolise un de mes enfants, mon index mon autre enfant, le majeur mon frère, l'annulaire mon conjoint, et le petit doigt ma mère. Si je vis une blessure à l'annulaire (relation avec mon conjoint), cela affectera toute ma main et mes autres doigts auront de la difficulté à accomplir adéquatement leurs fonctions. Voyez-vous la nécessité de guérir le plus rapidement possible cette blessure relationnelle qui peut affecter toute la famille ?

Élever, c'est facile !

Nous sommes tous riches et très puissants. Nous possédons tous à l'intérieur de nous une force d'une puissance incroyable. Nous avons le potentiel pour mettre en pratique ces simples applications. D'où que nous venions dans le monde, tous nous possédons :

- une bouche, pour dire des paroles aimantes et élevantes ;
- des yeux, pour regarder avec amour, émerveillement et admiration. Avez-vous remarqué que lorsque votre enfant connaît la moindre réussite, il recherche votre regard ? Le premier regard qu'il vous a

offert lorsqu'il est né, vous ne l'avez sûrement pas oublié ! C'est ce même regard chaleureux, de considération et d'admiration qu'il faut lui donner à nouveau, car il *est* la source de la prise de conscience de son potentiel et ancre profondément les racines de sa confiance en lui ;

- des mains, pour donner, partager, toucher avec douceur, sensibilité, chaleur, respect et avec une affection enveloppante et sécurisante. Elles touchent tant le corps que le cœur : « Ça me touche » ;

- des bras, pour étreindre avec amour, tendresse et affection, afin de protéger et d'accueillir ceux qui nous sont chers et qui ont tellement de valeur pour nous ;

- des oreilles et un cœur, pour écouter véritablement, avec présence et compassion ;

- des pensées aimantes, pour créer du Bon dans notre vie et celle de tous ceux que nous aimons. Ayons des pensées élevantes lorsque nous voyons que nos enfants dépassent leurs limitations. Et nos pensées d'amour, ne les gardons pas pour nous pour ensuite regretter de ne pas les avoir exprimées quand c'était le moment. Disons ou écrivons ces bonnes pensées à tous ceux que nous aimons et offrons-les. Cela nous rendra tellement heureux ! ;

- une force immense qui s'occupe de nous et sur laquelle nous pouvons compter. Vous avez remarqué que nous n'avons pas à penser à respirer et à faire battre notre cœur. Cette force s'en occupe. Elle est constamment présente en nous, nous n'avons qu'à lui permettre d'être.

Nous sommes riches au-delà de tout entendement !

Plus nous sommes aimants, plus nous attirons les aimants, qui se collent à nous... Les enfants aiment tellement se rapprocher ; n'est-ce pas aussi ce que nous désirons au plus profond de nous-mêmes ?

Un des moyens trop souvent employés pour relever les erreurs des enfants est de les abaisser, ce qui a pour effet de diminuer leur estime personnelle, de les placer dans un état inférieur. Nous oublions l'être intérieur en nous attardant à l'extérieur. Si je rabaisse, je me diminue, et tous nous en souffrons. L'important est d'avoir le désir d'élever plutôt que d'abaisser et de l'expérimenter pour en goûter les effets immédiats.

Élever	**Abaisser**
• Amener vers le haut	• Amener vers le bas
• Construire	• Détruire
• Faire grandir	• Diminuer
• Partager le Bon	• Partager le mauvais
• S'ouvrir	• Se fermer
• Accueillir	• Rejeter
• Reconnaître la valeur	• Ignorer la valeur, être indifférent
• S'épanouir	• Régresser
• Multiplier l'abondance	• Vivre le manque
• Prendre soin de...	• Négliger

Positif : J'élève, ça m'élève.
Résultat : Je suis en paix et heureux.

Négatif : J'abaisse, ça m'abaisse.
Résultat : Je suis en conflit et malheureux.

Élever

Je dis à mon enfant : «J'aime t'avoir comme enfant !»

Comment est sa pensée et comment se sent-il ?

• Il se sent aimé.
• Il est joyeux.
• Il est doux.
• Il se sent fort.
• Il sent qu'il y a quelqu'un avec lui (il n'est pas seul).
• Il se sent en sécurité.
• Il se trouve aimable.
• Il se sent riche.

Comment est son corps ?

• Il se sent léger, calme.
• Il a la tête haute.
• Il est ouvert, épanoui.

- Ses oreilles sont ouvertes, il écoute.
- Sa bouche, en retour, veut dire de belles choses.
- Ses mains sont prêtes à aider.
- Ses bras sont ouverts, prêts à toucher, à enlacer.

C'est bon pour lui (un trésor inestimable). Et c'est exactement comment j'aimerais qu'il soit dans la vie!

Il me répond: «Moi aussi, je suis chanceux de t'avoir comme maman (papa).»

Comment est ma pensée et comment je me sens?
- Je me sens aimé.
- Je me sens joyeux.
- Je me sens doux.
- Je me sens fort.
- Je sens qu'il y a quelqu'un avec moi.
- Je me sens rassuré.
- Je me trouve aimable.
- Je me sens riche.

Comment est mon corps?
- Je me sens léger, calme.
- J'ai la tête haute.
- Je suis ouvert.
- J'ai pour lui un regard de reconnaissance, de confiance et d'émerveillement. Ma bouche veut encore lui dire de belles choses.
- Mes oreilles sont ouvertes, disponibles à l'écouter.
- Mes mains sont ouvertes, prêtes à l'aider.
- Mes bras sont ouverts, prêts à le toucher, à l'enlacer, à le caresser.

C'est bon pour Moi (un trésor inestimable). C'est exactement, dans mon for intérieur, ce que je veux vivre dans ma vie de parent.

Résultat: C'est bon pour Moi, c'est bon pour lui, c'est bon pour notre relation; on se rapproche. C'est du Bon Bon Bon. Ça n'a pas de prix. Et c'est moi qui ai créé tout cela.

Abaisser

Je dis à mon enfant : « Tu es méchant, tu es jaloux, tu es égoïste, tu es bébé, tu n'es pas gentil ! »

Comment est sa pensée et comment se sent-il ?

- Il est triste.
- Il est dur et fermé.
- Il se sent faible.
- Il ne se sent pas aimé.
- Il se sent seul (personne n'est avec lui).
- Il ne se sent pas épaulé, appuyé.
- Il se sent méchant.
- Il confirme pour lui-même ce que je lui ai dit.

Comment est son corps ?

- Son corps s'alourdit.
- Il a la tête penchée.
- Il est fermé, replié sur lui-même.
- Il a un regard triste, qui fixe vers le bas.
- Sa bouche veut dire des paroles mauvaises et abaissantes.
- Ses oreilles ont de la difficulté à écouter.
- Ses mains se crispent, il se ronge les ongles.
- Ses bras sont croisés, repliés sur son cœur.

Ce n'est pas bon pour lui (un trésor dilapidé). Je serai affecté.

Il me répond : « Tu es méchant, c'est poche d'avoir des parents, tu n'es pas gentil ! »

Comment est ma pensée et comment je me sens ?

- Je ne me sens pas aimé, je me sens inadéquat.
- Je suis triste, déçu.
- Je me sens dévalorisé.
- Je suis dur et fermé.
- Je sens qu'il n'y a personne avec moi (je suis seul).
- Je ne me sens pas épaulé, appuyé.
- Je ne me sens pas sûr de moi.
- Je sens qu'il manque quelque chose à ma famille.

Comment est mon corps?

- Je suis tendu.
- J'ai la tête penchée, le front plissé.
- Je suis fermé.
- J'ai un regard triste, qui fixe vers le bas. Je n'arrive plus à le regarder avec amour.
- Ma bouche veut dire des paroles mauvaises et abaissantes.
- Mes mains se ferment.
- Mes bras sont croisés, repliés sur mon cœur.

Ce n'est pas bon pour Moi (une perte d'abondance). J'ai de la peine.

Résultat: Ce n'est pas bon pour Moi, ce n'est pas bon pour lui, ce n'est pas bon pour notre relation: cela nous éloigne. Et c'est moi qui ai créé tout cela.

Choisir à la lumière des résultats

Il y a à l'intérieur de nous un preneur de décisions. Nous décidons constamment entre notre bien-être ou notre mal-être. Trop souvent, nous prenons de mauvaises décisions et sans nous en rendre compte, nous décidons contre Nous.

Comme le rapporte Matthieu Ricard, dans son livre *Plaidoyer pour le bonheur:* «Pour influentes que puissent être les conditions extérieures, le mal-être, tout comme le bien-être, est essentiellement un état intérieur. Comprendre cela est le préliminaire indispensable à une vie qui vaille la peine d'être vécue.»

Reprenons notre pouvoir de décision

Nous menons tous des vies actives et en regardant autour de nous, il est évident que nous baignons dans des conflits de toutes sortes (guerres, crises financières, sensationnalisme télévisuel, violence, etc.). Prendre la décision de semer des graines de positif dans notre vie demande une certaine dose de vigilance, de rigueur et d'attention, jusqu'à ce que cela devienne un automatisme positif et constant. Avant tout, il nous faut prendre une décision consciente et nous dire: «C'est assez! Je choisis ce qui est digne de Nous.» Une fois que nous avons pris cette décision, les effets positifs de la mise en application des pistes suggérées feront que nous ne pourrons plus revenir en arrière. Goûter au Bon nous enlève le goût du mauvais. Cela change définitivement notre vie.

Choisir entre mon bien-être et mon mal-être

Je choisis mon bien-être plutôt que mon mal-être; j'arrête de me laisser influencer par l'environnement extérieur.

Selon vous, ce que vivent la majorité des gens correspond-il à la colonne de gauche ou à celle de droite? Dans quelle colonne vous situez-vous, en général?

Mal-être	**Bien-être**
• Insécurité, peur	• Sécurité, paix
• Dévalorisation, colère	• Gratification, valorisation
• Déception, tristesse	• Satisfaction, joie
• Humiliation, paresse	• Admiration, courage
• Indifférence, incompréhension	• Compassion, compréhension
• Insignifiance (je ne suis rien)	• Importance (je suis quelqu'un)
• Rejet, exclusion	• Acceptation, reconnaissance
• Orgueil, complexité de la vie	• Humilité, simplicité de la vie

Mon repère pour évaluer l'ampleur des automatismes positifs ou négatifs que j'emploie consiste à me poser la question suivante: «En général, suis-je heureux, épanoui, ouvert ou, à l'inverse, triste, déçu, découragé et fermé?»

Manière d'être ou façon de faire?

Être est à l'intérieur. Faire est à l'extérieur.

Quand je tends à être dans une manière d'être, je suis dans une disposition à être aimant à l'intérieur de moi. Je suis nourri uniquement par l'amour, et cet amour qui provient du plus profond de moi s'étend aux autres et ne se déforme pas en se transformant à tout moment en haine ou en agressivité. Ainsi, il est permanent et me remplit d'assurance et de calme. Cette manière d'être procède d'un *choix conscient* à ne créer que du Bon.

Lorsque je suis dans une façon de faire, je ne suis pas sûr de moi, je manque de confiance, je veux tout contrôler. J'ai peur, je suis déconnecté de mon être intérieur; mon mental prend le dessus et projette des états négatifs à l'extérieur. Oubliant mes valeurs profondes, je réagis selon les circonstances. Mes actions passent d'un état à l'autre: je suis parfois dans l'amour, parfois dans la haine, ou dans les deux à la fois. J'alterne en étant doux ou dur, aimant ou non aimant, élevant ou abaissant. Je vis dans la dualité et les conflits. Je réagis avec inconstance, incohérence et inconséquence. Je fais des actions qui souvent ne coïncident pas avec ma volonté réelle, qui serait d'être aimant.

En général, lorsque nous sommes hors de Nous, il nous arrive de fabriquer une façon de faire qui a des effets négatifs sur nous-mêmes et sur tous ceux que nous rencontrons: agresser, juger, rejeter, dénigrer, se saboter. Cette attitude ne nous apporte que déception et frustration, et nous en sortons avec un sentiment de culpabilité, nous craignons la punition. Ce mauvais qui sort de nous nous fait craindre le mauvais sort, nous avons toujours le sentiment qu'une tuile nous tombera sur la tête. Nous poursuivons en entretenant ce mauvais et en vociférant contre la vie, tout en oubliant que nous sommes l'Auteur de notre vie.

Comment sait-on que l'action posée provient de l'être ou du faire? Le résultat de l'un nous unit et crée un lien de rapprochement; l'autre nous sépare, nous éloigne.

Prenons deux exemples: l'un est dans une manière d'être aimante, et l'autre est dans une façon de faire.

Exemple 1. Je prends ces trois attributs : douceur – voir le Bon – voir le Beau. Je les prends comme s'ils étaient un objet.

> DOUCEUR — VOIR LE BON — VOIR LE BEAU

Et je me les donne intérieurement. Est-ce bon pour Moi ? La réponse est évidente.

Maintenant que je les possède intérieurement, je peux les offrir. Donc, je les prends et les offre à mon enfant. Est-ce bon pour lui ? Bien sûr que oui !

Résultat du Bon : Je m'enrichis et j'enrichis l'Autre.

Cette manière d'être aimante que j'ai choisi de m'offrir en vivant ces attributs et en les offrant à mon enfant, croyez-vous qu'elle va nous rapprocher ? De toute évidence, la réponse est oui. C'est bon pour Moi, bon pour lui et bon pour la relation entre Nous. Donc, c'est bon. Choisir le Bon en toute conscience, c'est ça être responsable !

Exemple 2. Je prends ces trois attributs : dureté – voir le mauvais – voir le négatif. Je les prends aussi comme s'ils étaient un objet.

> DURETÉ — VOIR LE MAUVAIS — VOIR LE NÉGATIF

Et je me les donne intérieurement – je me juge, je me compare et je suis négatif. Est-ce bon pour Moi ? Non.

Les ayant acquis, je les prends et les offre à mon enfant. Est-ce bon pour lui ?

Résultat du mauvais : Je m'appauvris et j'appauvris l'Autre.

Ces façons de faire non aimantes que j'ai choisi de m'offrir et d'offrir à mon enfant, croyez-vous qu'elles vont nous rapprocher ? De toute évidence, la réponse est non. Au contraire, elles vont nous éloigner. C'est mauvais pour Moi, pour lui et pour la relation. Donc, c'est mauvais.

L'important d'abord

L'importance, c'est la valeur que j'accorde à quelque chose. La difficulté est que nous ne savons pas véritablement ce qui a de l'importance et ce qui n'en a pas. Nous ne connaissons pas toujours notre meilleur intérêt.

Par exemple, je veux que mon fils fasse le ménage de sa chambre parce que des visiteurs vont bientôt arriver. Il tarde à le faire et je suis énervé. Je finis par encore lui crier après en l'abaissant, ce qui l'insécurise et diminue son estime personnelle. Cela nous éloigne. J'ai perdu ce qui me tient à cœur : l'estime personnelle de mon fils et la relation entre nous.

Dans un cas comme celui-ci, le parent guide et complice prend un recul, dédramatise pour reprendre son calme. Il refuse d'attaquer et agit au lieu de réagir. L'important d'abord est de réaliser que le moment est inopportun pour établir des balises et soutenir un encadrement coûte que coûte, même au prix de l'Estime de Nous (Moi et lui). Si cela est possible, il peut proposer à son enfant de ranger avec lui rapidement une partie de sa chambre. Ils ferment la porte, ils choisissent dans l'instant présent la relation et une joie accueillante pour les invités plutôt que la tension et la pression. Cette nouvelle attitude du parent, qui avait tendance à réagir négativement dans de telles situations, sèmera les premières Actions Aidantes Aimantes qui ouvriront la porte à un lien de rapprochement et de soutien mutuel. Ces actions constitueront une prévention pour éviter que de telles scènes se répètent et soient vécues à nouveau.

Par après, ce parent devra, si ce n'est pas déjà fait, initier son enfant à l'ordre en l'accompagnant par étapes et établir chez lui une constance à entretenir sa chambre pour ne plus avoir à intervenir négativement. Tout au long de ce livre, vous découvrirez de nombreuses pistes qui vous guideront pour développer l'habileté à établir un encadrement sain pour tous, tout en présentant un modèle de ce que vous aimeriez transmettre.

Je mets tout dans le même cadre

Nous avons tendance à tout mettre dans le même cadre et à ne plus faire la différence entre ce qui est bon et mauvais. Tout cela a la même importance. Le Bon et le mauvais s'enchevêtrent. Amour, haine, acceptation, rejet, colère, bienveillance: deux systèmes de pensée qui sont en désaccord complet et qui créent toujours des conflits. Le parent autoritaire, tout comme le parent permissif, alterne entre ce qui est bon et ce qui est mauvais; à un moment, il est doux et bienveillant et une heure après, il est impatient et intolérant. Le Bon des actions douces et bienveillantes est annulé par l'impatience et l'intolérance du parent. Aucun ancrage réel de Bon ne peut prendre racine. L'enfant ne peut se sentir en sécurité quand il reçoit deux messages: «Maintenant, je t'aime, mais si tu ne te comportes pas selon mon attente, je ne t'aime plus.» On ne peut aimer et rejeter en même temps, car aimer, c'est aimer le tout inconditionnellement. Amour et rejet sont opposés; de plus, ils se confondent et ne seront jamais en accord.

Pourquoi est-ce que nous agissons ainsi? C'est que nous n'avons pas encore *choisi* entre aimer et rejeter. Il est évident que pour faire un véritable choix au moins deux cadres s'imposent. Nous devons choisir et faire le tri en fonction des résultats que nous voulons atteindre et, par la suite, prendre la décision consciente de ne nourrir qu'un seul cadre: le Bon.

Pour le climat familial, semer des graines de Bon ou de mauvais?

Climat de tension insécurisant pour tous.
Aucun choix, tout s'enchevêtre : rejet, amour,
irrespect, tolérance, patience, colère.
Résultat : Nous souffrons.

Pour vraiment choisir, je devrai faire le tri et séparer le Bon du mauvais.

Climat de tension pour tous.
Rejet, irrespect, malveillance,
dureté, autoritarisme
et permissivité.

Climat heureux pour tous.
Acceptation, respect, bienveillance,
douceur et fermeté remplie
de conviction (valeurs).
Complicité aimante et encadrante.

Mon choix
Ne nourrir que de Bon, pour moi et les miens.

Résultat : Une famille heureuse.

Si nous voulons connaître l'amour, il nous faut laisser tomber la haine, ne fonctionner qu'avec un seul cadre, en choisir un et renoncer à l'autre. Nous ne pouvons servir deux maîtres en même temps. Dans quel genre de maison voulons-nous vivre ?

Noémie, mère de trois enfants, découragée par leur attitude négative et les paroles blessantes qu'ils s'adressent, témoigne de son incapacité, depuis un certain temps, à voir le Bon et le Beau chez ses enfants. Le soir, lorsqu'elle rentre à la maison, des pensées négatives accaparent son esprit et elle manifeste ses doléances au sujet de tous leurs comportements. Ce qui ressort, lorsqu'elle raconte son histoire, c'est qu'elle n'en peut plus et qu'elle est dans un état d'épuisement extrême. Elle a même de la difficulté à contenir son agressivité et à dissimuler son propre négativisme. Elle se croit victime de ses enfants.

Le seul cadre réel pour Noémie est le cadre du mauvais ; elle n'arrive plus à voir la moindre parcelle de Bon chez ses enfants, ce qui la rend confuse. Elle est incapable de comprendre et de résoudre son problème, croyant qu'il vient de ses enfants. Elle n'a pas fait le tri, et le cadre négatif prend toute la place. Il devient sa réalité de tous les jours. Quelle souffrance inutile pour tous ! Si elle parvenait à changer son esprit un seul instant et à détourner son regard de ce lourd cadre en abandonnant sa croyance au mauvais chez ses enfants et ses pensées d'attaque, elle pourrait petit à petit développer l'habileté à voir le Bon et le Beau en eux, ce qui changerait toute la dynamique familiale.

L'amour véritable de nous-mêmes et des autres doit constituer une force solide en nous. Si nous ne nous arrêtons pas pour faire ce tri et ce choix, nous transmettrons n'importe quoi : parfois une nourriture qui est adéquate, et parfois une nourriture qui ne correspond pas à nos valeurs profondes. Cette nourriture intérieure se transmettra de nous à nos enfants par nos pensées, nos gestes et nos paroles. Étant intelligents, nous allons faire le tri et choisir ce qui est bon.

Le parent guide et complice, par son attitude de bienveillance envers lui-même et sa famille, fait le choix de ne semer que ce qui est nourrissant pour tous. Il tourne ses yeux vers le cadre plus léger et met l'accent sur ce qui est bon pour que les résultats soient heureux et bons pour tous. Nos enfants ont une grande valeur, d'où l'importance d'avoir un cadre (balises) pour soutenir l'œuvre qu'ils sont et les mettre en valeur.

Nourrir notre vie de Bon Bon Bon

Le Bon Bon Bon dont nous parlons n'est pas une friandise, mais quelque chose que l'on sent comme bon. C'est ce que l'on ressent quand on donne ou reçoit de l'affection, de la tendresse et de la chaleur. On le goûte directement à l'intérieur de soi; il va droit au cœur. Il ne s'agit pas de sucettes à cinq sous, mais d'un Bon Bon Bon de grande qualité qui offrira cette douceur, ce réconfort et cette sécurité tant recherchés dans les friandises. Rejoignons ce Bon à l'intérieur de nous et offrons-le à nos enfants, ce qui nous mènera à l'abondance véritable.

Comment savoir si c'est du Bon Bon Bon? En me posant les questions suivantes lorsque je suis en relation: «Ce que je fais, est-ce bon pour Moi? Est-ce bon pour l'Autre? Est-ce bon pour la relation entre nous?» Si je réponds oui à ces trois questions, c'est bon. Si je réponds non à l'une d'entre elles, ce n'est pas bon.

De toute évidence, si ce que je fais amène un conflit en Moi ou chez l'Autre, c'est que la réponse à l'une de ces questions est non; je fais un faux Bon! La paix, résultat de mon action à court, à moyen et à long termes, sera mon indicateur du Bon Bon Bon. Nous ressortons tous les deux heureux de cette relation; il y aura de bons rebonds!

Distinguer les faux Bons des vrais Bons

Faire un vrai Bon, c'est élevant et bon pour tous

• Je me consacre consciemment du temps; je vais au cinéma et je me permets des moments de lecture, ma passion. Je prends consciemment le temps d'échanger avec plaisir et intérêt avec mon conjoint (juste nous deux) et avec mes enfants, que ce soit au retour à la maison, aux repas, lors des travaux scolaires, d'activités ou à l'heure du coucher. Notre relation est épanouissante.

Résultat: C'est bon pour Moi, c'est bon pour eux, c'est bon pour la relation entre nous.

Faire un faux Bon, c'est attendre un bon résultat, alors qu'il se produit l'inverse

- J'attends quelqu'un, il me fait «faux Bon» et ne vient pas. Je m'attends à un vrai Bon Bon et j'ai un faux Bon Bon. Mon Bon-heur est absent, il n'est pas au rendez-vous.

- Pour faire plaisir à mon enfant, je lui achète tout ce qu'il désire. Ces achats semblent nous satisfaire tous les deux. Croyant enri-chir notre relation de rapprochement, je découvre au contraire que cela nous sépare, puisque lorsque j'ose lui refuser une demande, il se montre gâté, égoïste et ingrat. Je pensais que les répercus-sions de ces cadeaux seraient positives, mais elles me font «faux Bon» parce que le résultat est négatif.

Résultat: Ce n'est pas bon pour Moi, pas bon pour lui ni pour la rela-tion entre nous.

Ce n'est Bon que pour moi: c'est un faux Bon

- Un comportement me dérange chez mon enfant. Je me défoule en lui disant des paroles rabaissantes: «Tu es bébé, irresponsable, égoïste!»

Résultat: De toute évidence, ce n'est pas bon pour lui et pas bon pour la relation entre nous. Donc, ce n'est pas bon pour Moi à court et à long termes.

- Je veux éduquer mon enfant à faire certaines activités, ce qui est bon en soi. Mais mes interventions empreintes d'intolérance sont dénigrantes, ce qui aura des effets négatifs sur Nous à court et à long termes. Voilà tout un faux Bon!

- Un matin, je fais le choix de ne penser qu'à moi et de flâner sans me soucier du temps qui passe et des enfants qui doivent partir pour l'école. Subitement, je réalise mon retard! Je dois les habil-ler et préparer leurs lunchs. Je deviens énervé, impatient et je les bouscule.

Résultat: Ce n'est pas bon pour eux et pas bon pour la relation entre nous. Donc, ce n'est pas bon pour Moi.

Ce n'est bon que pour lui: c'est un faux Bon

- Je me sacrifie en achetant des vêtements très chers pour mon enfant, alors que je n'en ai pas les moyens ou que je ne suis pas d'accord avec cette dépense, que je trouve exagérée. Cependant, je préfère me priver et endurer pour que lui ne souffre pas.

Résultat: C'est bon pour lui dans l'immédiat, pas bon pour Moi et pas bon pour la relation entre nous.

- Un matin, me sentant coupable de laisser mon enfant, je décide de lui consacrer beaucoup de temps, et j'arrive en retard au travail. À mon arrivée, le responsable m'en fait le reproche. De plus, toute ma journée est bousculée, ce qui me rend très anxieux. Je rentre à la maison et mon enfant paie le prix de mon impatience.

Résultat: C'était bon pour lui le matin, pas bon pour Moi, parce que je me suis oublié, et pas bon pour la relation entre nous au retour du travail.

Apprendre à dire non

Au fond de moi, je me fais des illusions, car je suis conscient des faux Bons, mais j'éteins en moi cette voix qui me dit non. Il serait facile de l'écouter, mais je la repousse sans trop faire attention aux conséquences et aux résultats que cela entraîne à long terme. L'attirance pour ces faux Bons inconscients est tellement grande qu'elle me rend sourd et aveugle, et je continue à me leurrer en accomplissant des actes sans discernement.

Pour ne pas le brimer, je cède aux caprices de mon enfant qui veut écouter ses émissions jusqu'à des heures indues. De plus, je le laisse manger à sa guise croustilles, chocolat, bonbons et aliments malsains. De peur de subir ses colères et ses reproches, j'achète la paix en évitant de lui dire non. Un autre grand faux Bon!

Pour ne vivre que du Bon, faire le choix de la douceur, de l'honnêteté et de l'intégrité

La douceur

La douceur est souvent perçue comme une faiblesse alors qu'elle est une grande force qui permet d'attirer et d'influencer les gens qui nous entourent. Il est vrai que la douceur seule, sans le soutien solide d'une conviction ferme et profonde et de valeurs saines, serait de piètre utilité. Pour faire image, disons que la tige d'une rose doit être ferme pour soutenir la douceur et la sensibilité de cette fleur à son extrémité. Douceur plus conviction ferme égalent réussite et force. Dureté et mollesse égalent échec et faiblesse. Nous sommes attirés par les personnes douces et nous nous sentons en sécurité en leur présence, nous ne ressentons aucun danger. Au contraire, la présence d'une personne dure insécurise, nous n'avons pas le goût d'entrer en relation avec elle.

De par sa nature, la douceur refuse la violence, elle éloigne automatiquement les menaces et les offenses envers soi-même et envers les autres. La douceur est un état d'être qui, une fois appliqué à ma pensée, à mes paroles et à mes gestes, renforce ma sécurité. Cette sécurité est un continuum de stabilité: plus on apprend à choisir la constance de la douceur, et plus la paix et la sécurité s'installent en Nous. Les doux et les humbles hériteront de la terre.

La douceur, c'est choisir ce qui est digne de Moi et l'offrir à l'Autre, ne choisir que le meilleur. Personne ne mérite de recevoir le mauvais. La douceur crée l'ouverture du cœur, en Moi et chez l'Autre. Elle est le véhicule qui transporte la joie. La douceur rapproche, unit, tandis que la dureté éloigne et provoque la fermeture du cœur, l'isolement, le repliement sur soi-même, l'enfermement. Donc, je serai enfermé dans un état qui me ment. Cette fermeture provoquera en moi une attention sur le mauvais, que j'amplifierai, ce qui distordra ma perception de la réalité et me rendra aveugle au Bon.

Je suis dure envers moi-même en me comparant à ma belle-sœur qui a un enfant calme, alors que le mien est très agité. J'allume la lumière de ma conscience pour réaliser à quel point je manque de douceur envers moi. Je fais le choix d'accueillir cette douceur qui est déjà là en cessant de me comparer, ce qui m'apportera plus de sérénité et de calme, et se répercutera sur la relation que j'entretiens avec mon enfant et sur son comportement.

L'honnêteté

Être honnête, c'est être cohérent : ce que je fais, ce que je dis coïncide toujours avec ce que je pense. C'est cela être véritablement honnête ! Lorsque j'agis ainsi, cela me sécurise parce que je sais que je peux compter sur moi et que je ne suis pas en conflit intérieurement ; il m'est donc impossible d'être en conflit extérieurement. L'honnêteté est essentielle pour être cohérent. Le mensonge n'a qu'un seul objectif, celui de tromper l'Autre, donc de se tromper soi-même. C'est ça, se leurrer. Ce qui est important, c'est de prendre dans le présent une décision honnête pour le Bon et de la maintenir.

L'intégrité

Nous avons tendance à confondre l'honnêteté et l'intégrité, et c'est pour cette raison que dans certaines situations nous n'arrivons pas à être cohérents. Être intègre veut dire être d'une probité absolue, incorruptible. Intégral signifie entier, complet. Il est facile d'être dans l'illusion et de croire que l'on est intègre parce qu'on accomplit quelque chose qui est honnête dans un aspect et pas honnête dans l'autre.

> Je fais des demandes à mon enfant que moi-même je n'arrive pas à intégrer. J'interdis à mon fils de me parler sur un ton arrogant, lui disant que moi, je ne lui parle pas ainsi. Je suis honnête en affirmant que je n'emploie pas les mêmes paroles que lui, mais mon attitude et mes paroles sont parfois empreintes de la même arrogance.

Si je suis honnête à 80 % et malhonnête à 20 %, je ne peux affirmer que je suis intègre. Pour que j'obtienne les résultats recherchés, mes actions doivent être accomplies avec une totale honnêteté, car l'honnêteté et l'intégrité sont inséparables.

« S'en passer une petite vite »

Parfois, nous laissons passer certaines pensées du genre « ce n'est pas grave » traverser notre esprit à la vitesse de l'éclair. Nous les laissons faire, oubliant qu'elles auront des conséquences. Notre manque d'intégrité nous rattrapera toujours.

Pour moi, l'ordre et la propreté dans une maison ont beaucoup d'importance. Vous arriveriez à l'improviste chez moi, et tout semblerait impeccable. Vous pourriez alors penser de moi que je suis une personne propre et ordonnée.

Hier, j'ai fait le ménage en glissant la poussière sous le tapis. Sûr de moi, je confirme à ma femme que j'ai fait le ménage, ce qui, dans les faits, est indéniable. Lorsqu'elle vérifie, voyant les bosses sous le tapis, elle me dit que je n'ai pas vraiment nettoyé et me boude. La vérité, c'est qu'au fond je savais que ma déclaration n'était pas intègre. En lui mentant, je me piège. Un jour ou l'autre, ces bosses accumulées vont me rattraper : jetant mes « ce n'est pas grave » en dessous du tapis de l'inconscience, je risque de trébucher, de souffrir et de faire souffrir. Mais attention, si ce manque d'intégrité se manifeste dans ce domaine, il y a de fortes chances qu'il se vive dans d'autres aspects de ma vie aux conséquences, cette fois, plus graves qu'une simple bouderie !

D'autres exemples de « ce n'est pas grave » se répercutent :

- dans notre attitude laxiste, quand nous laissons nos enfants tout faire sans mettre de balises. La délinquance et la violence extrême que l'on retrouve en Amérique du Nord proviennent de ce laisser-faire au quotidien, ce qui provoque à long terme des conséquences désastreuses. L'enfant a besoin d'un parent solide qu'il respectera en raison de ses convictions profondes et de sa connaissance des dangers et des nuisances. Il le remerciera plus tard d'avoir maintenu un encadrement sécurisant. Puisqu'il prendra la relève de son parent, il transmettra la même chose à ses enfants, ce qui est bon pour Nous ;

- dans nos interventions empreintes de dureté et de négativisme envers nos enfants, quand nous leur adressons des reproches renforcés par nos jugements, diminuant leur estime personnelle et pensant que « ce n'est pas grave », que ce sera vite oublié, que cela n'a pas d'impact sur eux ; on se reprendra plus tard... ce qu'on fait rarement.

CHAPITRE 2

MODE D'EMPLOI RELATIONNEL QUOTIDIEN POUR DÉVELOPPER L'ESTIME DE NOUS

Entrons maintenant dans le mode action. Il ne suffit pas de lire un livre sur le Bonheur pour développer la capacité d'être heureux. Il faut agir et mettre en application les moyens proposés. Pour prendre en charge notre bien-être (Moi et l'Autre), pour aller vers le Bonheur, la joie, l'abondance et la paix, voici une méthode évolutive d'une grande simplicité, très efficace et des plus concrètes. Transmettre à vos enfants ce mode d'emploi et le pratiquer en famille apportera une transformation claire dès les premières applications[2].

Je prends en charge mon bien-être. J'ai compris que je suis l'Auteur de ma vie et que chaque jour, j'ai l'immense pouvoir de l'orienter dans la direction que je veux et que je choisis consciemment. Je le fais pour Nous: Moi et l'Autre. Nous avons vu qu'il y a un preneur de décisions à l'intérieur de nous qui fait des choix. Ce Coach de vie personnel est cette partie guide et complice aimante en moi qui utilise continuellement les repères du Bon Bon Bon. Il me dirige pour que je n'accomplisse que des Actions Aidantes Aimantes, afin que j'aie une vie heureuse et épanouissante.

---

2. Vous pouvez vous procurer notre affiche «Développer l'Estime de Nous» en allant sur notre site www.commeunique.com.

Sept étapes

Première étape. Dès le matin...

Nous connaissons tous l'expression «Il faut se lever de bonne heure pour atteindre ses objectifs». Cela sous-entend que nous devons nous y prendre tôt pour accomplir une tâche ardue. Nous réinterpréterons cette expression pour lui donner un nouveau sens. Pour vivre heureux et pouvoir créer un climat nourrissant, nous allumerons une première lumière dès notre réveil et mettrons en œuvre une première élévation en nous levant «de Bonheur», et ce, quelle que soit l'heure. Je ferai consciemment le *choix* du Bonheur, car si je ne me lève pas «de Bonheur», je risque de me lever «de malheur». L'avenir n'appartient-il pas à ceux qui se lèvent «de Bonheur»?

Orienter mon esprit

J'apprendrai donc chaque matin à faire le choix d'orienter mes pensées vers le Bonheur: la joie, la douceur et le Bon. Je transformerai tout ce qui m'entoure, car laisser mes lumières allumées sur le Bonheur éclairera de Bon tous ceux avec qui je serai en relation: ma famille, mes amis, mes collègues et ceux que je rencontrerai. Bien sûr, je reste conscient que je vis parfois des choses difficiles, et je ne jouerai pas à l'autruche en me faisant croire qu'il n'y a aucun problème. J'ai le choix de m'attarder sur le négatif en m'enlisant dans la souffrance et en contaminant ceux que je rencontre, ou de changer mon état d'esprit. Choisir la joie, c'est aussi dépasser mon égocentrisme en considérant l'Autre.

Refuser le négatif avec une fermeté bienveillante

Il est faux de croire que je ne fais pas partie du problème qui m'arrive, que ce soit une émotion ou une situation négative, et que je n'ai aucun pouvoir de choisir autre chose et de changer. Il est possible, à tout moment, pour chacun, sans exception, de reprendre son pouvoir et d'être maître de soi, même si parfois une situation semble sans issue. Nous ne parlons pas ici d'être dans un positivisme excessif, qui aurait le même effet que d'être dans un négativisme exagéré.

Au réveil, il nous arrive de ruminer le passé et d'anticiper le futur. Plusieurs pensées et images se présentent à nous et vont donner la direction à notre journée. Certaines sont belles, d'autres moins. Si je laisse une pensée négative monter en moi et que je m'y attarde, mille autres suivront, et ma journée sera gâchée. Si c'est le cas, j'allume la lumière de ma conscience, je refais le choix et je change mon état d'esprit. Je prends la décision de ne retenir que celles qui sont élevantes. Je refuse consciemment le négatif avec fermeté. Je me dis : « Re-fu-sé. Moi, je choisis la joie. » Par contre, si je vis un problème récurrent qui me perturbe au point d'affecter ma santé mentale, je ne devrais pas hésiter une seconde à faire une démarche pour régler ce problème. L'objectif que nous recherchons est de faire *un pas* pour élever notre conscience afin de guérir nos souffrances. Comme disait Héraclite, un philosophe grec : « Médecin, guéris-toi toi-même. »

Deuxième étape. Je fais le choix conscient du Bon

Comme mode d'emploi pour n'apporter que du Bon à moi et aux autres, au saut du lit j'oriente ma journée en décidant consciemment de déposer le bon pied[3] sur la pierre d'assise du Bon : bon pour Moi, bon pour l'Autre, bon pour la relation entre Nous. L'important est de donner une direction à ma journée et de déposer consciemment le bon pied par terre pour aller vers le Bon, qui est la joie et la douceur.

---

3. Expression équestre qui nous vient du XVIᵉ siècle, en parlant du pied droit du cheval.

Je ne me lève plus machinalement pour vaquer à mon quotidien, car ma journée risque d'aller dans tous les sens et de perdre la direction que j'aimerais lui donner. Si j'ai choisi le malheur, d'être maussade et pessimiste (parce que nous choisissons toujours!), j'affecterai mes enfants et tous ceux qui seront en ma présence pendant cette journée.

Je ne me lève plus, emporté par l'automatisme du négatif; je ne me lève plus n'importe comment. J'y pense, je suis conscient, *allumé*. Cela me procurera une stabilité intérieure qui orientera mon esprit vers le Bon. Le contraire serait de mettre le pied sur le mauvais, qui est la tristesse et la dureté, ce qui déstabiliserait ma journée.

Cette habitude ludique de vous lever du bon pied, mettez-la en pratique avec vos enfants, et pas seulement un matin, mais tous les jours. Développez la constance et levez-vous toujours dans la joie, pas trois fois « de Bonheur » et quatre fois « de malheur » durant une semaine, mais tous les jours. Cela développera en vous un réflexe à choisir le Bonheur, et c'est ce que vous enseignerez à vos enfants par le modèle que vous présenterez. Vous marcherez et grandirez en même temps qu'eux. Ensemble, vous vous dirigerez vers une pleine maturité, dans l'épanouissement de chacun. Le fruit, résultat de vos actions élevantes, sera bon pour tous.

Si tout va mal, comme certains matins, agissez comme une de nos formatrices: recouchez-vous et recommencez l'exercice. Mais attention de ne pas utiliser ce prétexte pour vous lever à midi!

Troisième étape. Je prends soin de mon hygiène intérieure

Nous sommes tous d'accord sur le fait que le matin, nous devons nous préparer en fonction de ce que nous avons à faire. Je fais ma toilette : je prends ma douche, je me brosse les dents, je m'habille selon les circonstances, et je prépare mes dossiers ou mes outils pour être prêt à affronter ma journée.

Cependant, nous ne pensons pas à prendre soin de notre hygiène intérieure. Dès que je me retrouve devant le miroir le matin, je me regarde droit dans les yeux, sourire aux lèvres, et je me demande consciemment cette question essentielle : « Quel genre de journée est-ce que je veux passer aujourd'hui ? » Je nomme une ou deux qualités – jamais plus de trois –, que j'appliquerai tout au long de la journée. Un truc aidant que nous avons développé pour nous permettre de garder à l'esprit cette qualité est de l'écrire sur notre pouce, comme un « pouce-it » aide-mémoire. Cette question implique inévitablement ce que je mettrai en œuvre intérieurement pour ne pas avoir à réparer continuellement, si je me suis lancé dans cette journée par automatisme et sans avoir défini mes buts ; si je ne suis pas préparé, dans le feu de l'action, je ne ferai que réagir. Préparation évite réparation !

Si je veux avoir, je dois être

Je me programme du Bon et je crée un ancrage en Moi : toute ma vie sera transformée. Ce que j'aurai décidé d'avoir, je n'aurai qu'à l'être, et c'est ce que j'aurai. Si j'ai choisi d'avoir du calme, je n'aurai qu'à être calme. Lorsque mes objectifs sont clairement établis et que je suis convaincu, les moyens et la fin suivent, et ma pensée est disposée à s'aligner sur mes buts.

Si j'ai choisi de vivre la douceur, la paix et la bienveillance, les moyens que j'utiliserai – mes pensées, mes paroles et mes actions – seront dirigés en fonction de ces buts. Je pourrai donc vivre ma journée dans la joie et l'abondance et quitter mon travail « de Bonheur » pour poursuivre le reste de ma journée heureux. Le repère pour savoir si j'ai choisi la constance et la cohérence du Bon Bon Bon dans ma journée sera que je me coucherai « de Bonheur », quelle que soit l'heure, ce qui me donnera un sommeil réparateur, enlèvera les plis sur mon front et me permettra de passer de rêves parfois troublants à des rêves heureux.

Avoir et être, c'est la même chose.

Si je veux :	Je dois : ...
• Avoir du Bon	• Être bon
• Avoir la joie	• Être joyeux
• Avoir de la patience	• Être patient
• Avoir de la reconnaissance	• Être reconnaissant
• Avoir de l'abondance	• Être généreux
• Avoir de l'attention	• Être attentionné
• Avoir de l'implication	• Être impliqué

Voici le témoignage d'un couple de parents formateurs dans nos ateliers « Développer l'Estime de Nous ».

Éliot, notre fils de 12 ans, pratique une partie du mode d'emploi quotidien tous les jours. Hier, il n'était pas content parce que je l'ai réveillé en retard pour l'école et que les plans du matin ont changé. Donc, il bougonne et fait ses choses. Le soir, au retour de l'école, il nous dit que ce matin il lui est arrivé quelque chose qu'il n'avait jamais vécu dans sa vie. Il nous raconte que lorsqu'il était fâché, une petite voix intérieure lui disait : « Éliot, voyons, décide-toi ! Quel genre de journée veux-tu passer ? Veux-tu passer la journée de mauvaise humeur ? Allez ! Décide... » Nous avons trouvé cela génial. Et, bien entendu, sans même que nous le lui disions, il a choisi pour lui, et non pour les autres. Wow ! Il a passé une excellente journée. Merci à vous de partager avec nous vos prises de conscience.

Ce témoignage nous touche droit au cœur! Bravo à Éliot d'avoir repris son pouvoir de décision et d'avoir créé sa vie comme il l'entend! C'est un pas de géant, les jeunes et nous pouvons maintenant, grâce à ce mode d'emploi, transformer notre vie en l'écrivant autrement! Par sa conscience et son expérience, il sera un semeur de Bon lui aussi, comme ses magnifiques parents!

Quatrième étape. Je suis conscient ici et «main tenant[4]»

À la suite des trois premières étapes, tout au long de la journée, je mets en pratique ma vigilance, pour maintenir ma conscience élevée.

Je suis présent pour tenir ma propre main et celle de l'Autre. Le «ici», dans «ici et main tenant», est là pour nous rappeler le moment présent (être conscient). Et le «main tenant» signifie que nous devons faire le choix *volontairement* d'être présent en donnant la main. La puissance de ce don nous fait prendre conscience de la valeur d'entretenir une relation saine avec soi-même et avec l'Autre. Maintenir ma main signifie que je prends soin de moi, et maintenir la main de l'Autre signifie que je prends soin de l'Autre, de tous. On ne s'oublie jamais en étant dur avec soi et on n'oublie pas l'Autre en étant dur avec lui.

C'est nous tenir la main qui referme le fossé qu'il y a entre nous. Chaque «main tenant» me conduit au Bonheur constant pour moi et les miens. C'est ça, le Nous!

---

4. Maintenant: de main et tenant; à présent, à partir de l'instant présent. (Dictionnaire *Le Petit Larousse*)

La vigilance tout au long de la journée consiste à nous rappeler de redéposer *régulièrement* notre bon pied au sol pour nous souvenir de nous diriger vers le Bon. Cette pratique, je peux aussi l'appliquer en arrivant dans le lieu où se déroulent mes activités quotidiennes. Je laisse mon sac de difficultés à l'extérieur, je suis libre de toute tension. Dès l'entrée, je dépose à nouveau, consciemment, le bon pied sur l'assise du Bon, pour volontairement choisir des automatismes positifs pour mon bien-être et celui des personnes que je rencontrerai. Je ferai à nouveau ce même pas en rentrant à la maison.

Pendant la journée, des éléments extérieurs peuvent survenir, qui me feront basculer temporairement dans le négatif, ce qui créera en moi une certaine confusion, au point de croire que ma pratique du Bon ne fonctionne plus. Cette étape est normale dans le processus d'«apprenti-sage». Ces moments sont de très courte durée et n'annihilent pas les acquis précédents. Ces courtes chutes peuvent avoir comme conséquence de me faire croire que plus rien ne marche, comme si je traversais un brouillard, et de me faire douter de mes motivations premières qui étaient la possibilité d'atteindre mes objectifs: mon Bonheur et le Bonheur des miens. C'est pour cela qu'il faut que j'allume de nouveau ma lumière, que je revienne consciemment à l'intérieur de moi, dans le présent, que je réalise cette perte de maîtrise et que je remonte en selle le plus rapidement possible pour reprendre les rênes et ne pas me laisser envahir par le négatif, afin de poursuivre ma route en toute quiétude, parce que je sais que moi et les miens, nous en valons la peine. Je tisse un filet serré avec la trame du Bon, dans lequel le négatif peut de moins en moins pénétrer.

Je serai vigilant chaque fois que mes automatismes négatifs resurgiront, réactions à des comportements dérangeants des autres. Je serai attentif à refuser d'attaquer, en déposant les armes. J'ai du pouvoir sur ma vie, le pouvoir de refuser.

Cinquième étape. J'oriente mon esprit vers des pensées aimantes

Vu que la plupart d'entre nous vivent plus à l'extérieur qu'à l'intérieur d'eux-mêmes, pour exercer cette vigilance je penserai constamment à entrer en moi pour rejoindre la partie calme où je me sens en sécurité. Parce que si je n'habite pas ma demeure intérieure, calme et aimante, le non-aimant prendra toute la place. Chaque fois qu'une pensée de jugement ou de comparaison monte en moi, je suis vigilant pour la refuser et je retourne rapidement en moi pour orienter mon esprit vers des pensées aimantes, ce qui m'amènera à voir autrement et maintiendra ma capacité à vivre de belles journées harmonieuses.

Sixième étape. Je me mets dans un état continuel d'appréciation

Lorsque nous ne sommes pas vigilants, nous avons tendance à déprécier (enlever de la valeur) par nos critiques, nos jugements et nos comparaisons, ce qui nous empêche d'apprécier (reconnaître le précieux). De cette façon, nous créons un état perpétuel de manque en nous. Nous avons établi que l'or et le diamant constituent les éléments qui ont le plus de valeur dans le monde. Nous oublions souvent le diamant qui est à l'intérieur de chacun de nous et de nos enfants. Parce que nous ne le voyons pas avec les yeux du corps, nous ne le reconnaissons pas et jetons le bébé avec l'eau du bain. Soyons attentifs à créer un état d'urgence afin d'apprécier ce précieux en nous et chez les autres, tout comme ces personnes qui sont en phase terminale et qui subitement découvrent la valeur de l'amour.

Septième étape. Je suis reconnaissant

Je remercie, j'ai de la gratitude pour tout le Bon que j'ai donné et reçu. Cette gratitude est un accusé de réception qui me permet d'être conscient de toute cette bonté en moi et chez les autres. Je fais un retour sur le niveau d'élévation que j'ai acquis tout le long de cette journée. Cela me permet d'engranger ce Bonheur en Moi. Je fais cet exercice de gratitude en sortant de mon travail, dans mon auto ou dans le métro, et le soir au coucher, je remercie une dernière fois, ce qui m'assure un sommeil calme et heureux.

J'évalue la grandeur et la valeur de mes acquis en reconnaissant les pas, l'avancée que j'effectue sur le chemin de mon épanouissement et l'impact réel que cela a sur moi et sur les autres. Je reconnais aussi que cela se déploie tant à l'horizontale – toutes les personnes que je rencontre, Moi et mes enfants – qu'à la verticale – toutes les générations qui seront touchées par Nous.

Exercice d'appréciation et de gratitude

Nous vivons dans une culture de manque: «Je n'ai pas assez dormi! Je n'ai pas assez d'argent, pas assez de temps, pas assez de loisirs...»; «Il faut que je change ma télévision (cinq ans d'usure), mon ordi (deux ans), mon cellulaire (un an), ma maison (sept ans), mon auto (quatre ans), mon emploi...»; «J'aimerais avoir un bateau, un chalet, gagner à la loterie, que mes enfants aillent à l'université...»; «J'ai trop de travail, trop de responsabilités...».

Le problème n'est pas d'avoir ou de ne pas avoir, mais l'*état d'esprit* dans lequel nous avons ou n'avons pas. Cet état d'esprit, inconsciemment, nous maintient dans la pauvreté et le manque, quels que soient notre condition et notre compte en banque. Par notre comportement, nous transmettons cette façon de penser à nos enfants qui, tout comme nous, reprennent ce sac troué qui ne se remplit jamais...

Remercier pour ce que j'ai donné et reçu. Dire merci constitue l'accusé de réception du Bon.

L'exercice qui suit a pour but de reconnaitre le Bon, ce qui permet de diriger l'esprit vers l'abondance, dans le moment présent. Le faire par écrit aide à prendre conscience de façon plus tangible de la grande quantité de dons reçus ou faits dans la journée. Cette «reconnaissance» apporte la satisfaction et fait monter la joie en nous, conscients du plein qui nous habite. Plus nous remplissons notre cœur d'appréciation, plus nous rions, et l'humour vient teinter nos journées.

En écrivant ce passage, nous nous rappelons, Michel-Jacques et moi, notre conversation d'hier, lorsque nous nous sommes lu les acquis et les dons de nos journées respectives. Nous avons constaté que depuis que nous les nommons ou les écrivons, ces attributs font maintenant partie intégrante de notre vie.

Première étape. Ce que j'ai donné

- J'ai donné de la patience à...
- J'ai donné du calme à... dans telle situation...
- J'ai donné des sourires à...
- J'ai donné de la douceur à moi et à...
- J'ai donné un arrêt de mon jugement sur...
- J'ai donné un temps d'arrêt pour me reposer...
- J'ai donné ma complicité à ma sœur....

Je ne donne que ce que je possède. Lorsque vos enfants énumèrent les dons qu'ils ont offerts, faites-leur prendre conscience qu'ils sont ce qu'ils donnent et faites ce même exercice pour vous aussi.

Deuxième étape. Ce que j'ai donné, c'est ce que je suis

- J'ai donné de la patience à...   Je suis patient.
- J'ai donné du calme à...
  dans telle situation...   Je suis calme.
- J'ai donné des sourires à...   Je suis souriant.
- J'ai donné de la douceur
  à moi et à... ·   Je suis doux.
- J'ai donné un arrêt de mon
  jugement sur...   Je suis bienveillant
- J'ai donné un temps d'arrêt
  pour me reposer...   Je suis attentionné.
- J'ai donné ma complicité
  à ma sœur...   Je suis complice aimant.

Je fais aussi la liste de ce que j'ai reçu

- J'ai reçu des « je t'aime » de mon conjoint...
- J'ai reçu de l'écoute de mon plus jeune...
- J'ai reçu de l'attention et de l'importance de ma fille...
- J'ai reçu de la générosité de mon garçon...
- J'ai reçu de l'aide du voisin...
- J'ai reçu de la considération de ma belle-mère...
- J'ai reçu de la reconnaissance de mon patron...
- J'ai reçu de l'affection de...

Témoignez par écrit de votre appréciation et de votre gratitude. Faites-en part aux membres de votre famille : eux aussi vous en seront reconnaissants. Au nom de vos enfants et des vôtres, merci !

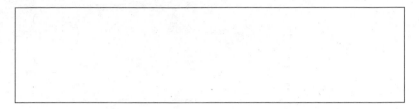

Conclusion : Puisque le présent est garant du futur, l'accumulation de telles journées, choisies et vécues avec une intention consciente, provoquera très rapidement une constance à choisir quotidiennement la joie.

L'accumulation de présents heureux égale un futur heureux !

CHAPITRE 3

Nourrir l'Estime de Nous

Donner

Voici une excellente nouvelle. Tout ce que je donne, je le reçois. Je vous donne des sourires, je recevrai de vous des sourires. Si je vous donne de l'agressivité, je recevrai de l'agressivité. Lorsque quelqu'un a une attitude bienveillante envers moi, j'ai, par ricochet, un élan de générosité envers lui. Au contraire, lorsque l'Autre a une attitude qui me fait souffrir, si je ne suis pas vigilant, j'ai le goût de lui rendre la pareille. On ne reçoit que ce que l'on donne.

Ce qui est merveilleux, c'est que *je peux choisir* exactement ce que je veux recevoir des autres et l'obtenir à mon gré tout en remplissant mon trésor intérieur. Et plus je le donnerai, plus il s'étendra en moi et se multipliera dans tous les aspects de ma vie. Voyez-vous l'immense pouvoir que nous possédons !

Donner en premier

Reconnaissons toute la puissance d'attraction qu'une simple action peut produire, par exemple un sourire.

Un sourire ne coûte rien, mais il a une grande valeur. Il enrichit ceux et celles qui le reçoivent sans appauvrir ceux et celles qui le donnent. Il dure un instant, mais on s'en souvient longtemps. Personne n'est assez riche pour s'en passer, même les pauvres peuvent le posséder. Il rend les familles heureuses, les affaires prospères, les amitiés durables. Un sourire nous repose quand nous

sommes fatigués, nous encourage quand nous sommes dépri-
més, nous réconforte quand nous sommes tristes, et nous aide à
combattre tous les soucis. Cependant, il ne peut être acheté,
emprunté ou volé. Il n'a de valeur que lorsqu'il est donné. Si vous
rencontrez quelqu'un qui ne vous donne pas le sourire que vous
méritez, soyez généreux, donnez-lui le vôtre, car personne n'a
plus besoin d'un sourire que celui ou celle qui ne peut en donner
aux autres...

Auteur inconnu

La joie du don

Un élan naturel nous propulse vers l'Autre. Lorsque nous sortons de
nos jugements, que nous comprenons et que nous apprécions l'Autre,
nous aimons naturellement être avec les autres, aider et rendre service. Nous avons tous vécu l'expérience d'être interpellés sur le bord
d'une rue par un automobiliste qui cherche son chemin. La sollici-
tude et l'empressement avec lesquels nous offrons notre aide nous
remplissent de satisfaction et de joie d'avoir aidé.

Voici une petite anecdote illustrant la joie de donner et de recevoir. On rapporte que les anciens qui s'ennuyaient, isolés dans leurs
rangs de campagne, aimaient beaucoup renseigner les voyageurs
perdus et leur indiquer le chemin. Ce don qu'ils faisaient aux pas-
sants leur apportait (recevoir) la joie d'entrer en relation et d'aider tout
en se sentant utiles. On raconte même que certains paysans enle-
vaient les panneaux indicateurs pour vivre la joie d'aider les autres et
d'entreprendre une bonne conversation, qui durait parfois des heures.

Tout ce qui m'arrive de bon, je l'ai semé dans ma terre intérieure,
donc je le récolte et j'y ai accès quand je veux et je peux le donner. Il
se répand sans même que je m'en rende compte. Tout ce qui m'arrive
de négatif, cela aussi je l'ai semé. Je m'en départis non pas en le refou-
lant, mais en l'observant consciemment en moi, ainsi que ses effets,
sans m'y attarder. Je décide que je n'en veux plus, sinon il prendra de
la force et se solidifiera comme un bloc impénétrable, qu'il me sera
difficile de défaire. Il polluera mes relations et perpétuera mes souffrances.

La responsabilité est de s'engager à ne donner que ce qu'il y a de meilleur à Moi et à l'Autre.

Donner véritablement

Lorsque je donne d'une façon équilibrée, je reçois automatiquement par l'intermédiaire du plaisir de donner ; je suis comblé. L'Autre n'a pas le sentiment qu'il me doit quelque chose, et moi non plus je ne pense pas qu'il me doit quelque chose. Résultat : Nous gagnons.

Donner pour être conscient de ses dons

Nul ne peut donner à moins d'avoir. De fait, donner est la preuve qu'on a. En effet, c'est lorsque je donne quelque chose que je m'aperçois que je l'ai et que je prends conscience de mon abondance. Je décide consciemment, aujourd'hui, de faire le don de générosité, de bienveillance, d'élévation et de considération envers l'Autre. Je peux reconnaître que je suis rempli de ces qualités ; que ce sont des « dons » que je possède, et plus je les cultive, plus ils se multiplient à l'intérieur de moi. J'ai reçu en donnant parce que je réalise en faisant mes dons que je me sens bien : j'aime me sentir généreux, bienveillant, élevant, empreint de considération. C'est ce que je reçois. Ce n'est pas important de ressentir que l'Autre me le retourne dans le temps parce qu'un vrai don permet au donneur de recevoir instantanément en donnant. C'est ça, un vrai don !

Je donne de la bonté, je réalise que je suis bon. Je donne de l'honnêteté, c'est que je la possède aussi. Je donne de ma générosité, je réalise que je suis généreux.

Je donne de la douceur, donc je m'enseigne que je suis doux et je l'enseigne à l'Autre, puisque par l'exemple j'enseigne constamment. Je n'enseigne *que* ce que je suis et je ne m'apprends *que* ce que j'enseigne. Je contribue à l'Estime de Nous. Il y a des gens qui croient qu'ils ne pourront jamais être doux, que c'est un trait de caractère qui n'est pas donné à tous. Mais dès qu'ils en font consciemment l'expérience, ils s'aperçoivent que la douceur fait bien partie d'eux et qu'elle leur est bénéfique parce qu'elle crée l'ouverture tant en eux que chez les autres, et ils s'en réjouissent.

La pensée derrière ce que je donne détermine ma richesse

Dans la réalité, lorsque je donne un élément matériel – de l'argent, un objet, etc. –, il ne me revient pas et il est impensable de croire qu'il me reviendra, puisqu'il est dans les mains d'un autre. Par contre, observez le receveur à qui vous faites don d'un simple sourire, d'une parole chaleureuse et amicale: son visage s'illumine et il devient la preuve des grandes valeurs du don et de celui qui l'a offert. Regardez les répercussions sur la personne qui fait le don, sur celle qui le reçoit et sur toutes celles qui seront positivement contaminées autour.

De grands penseurs à travers les âges nous ont laissé un héritage qui nous aide à mieux vivre notre vie et à comprendre l'Autre. Pensons aux philosophes Socrate, Platon et Aristote, dans leur quête pour trouver la clé du Bonheur. Réfléchissons aussi à la pensée qui animait Gandhi et qui inspire aujourd'hui le dalaï-lama: la non-violence. Souvenons-nous de mère Teresa et de sœur Emmanuelle, habitées par la même pensée dans leurs actes quotidiens: que du Bon. Cet héritage issu de pensées aimantes nous influence encore aujourd'hui. C'est la pensée derrière les choses que j'accomplis qui reste, qui détermine ce que je suis et la valeur de ma richesse. Repensons à cette personne anonyme qui vient de dire une parole chaleureuse. N'est-elle pas en train de contribuer à l'abondance qui s'étendra jusqu'aux générations futures? N'oublions pas que c'est avant tout sa pensée remplie de bonté qui a créé cet état extérieur d'une grande valeur.

Pour accéder à la richesse intérieure, la première étape consiste à réaliser que le Bon que je possède est abondant. La deuxième étape est de donner ce que je possède. Arrêtons-nous un instant et prenons conscience que nous donnons à chaque seconde de notre existence, peu importe la forme de ce don. C'est à travers les effets observés chez l'Autre, qui me reviendront sous forme de Bon ou de mauvais, que je réaliserai que je possède ces dons en positif ou en négatif. Plus je donnerai de Bon, plus j'accumulerai une richesse inestimable. L'important est de « conscientiser » ce que je donne et de ne choisir que le Bon.

Le reflet de ce que je donne

Je donne
- Considération
- Arrogance
- Irrespect
- Agressivité
- Impatience
- Rejet
- Respect
- Bienveillance
- Tolérance
- Douceur

Je reçois
- Considération
- Arrogance
- Irrespect
- Agressivité
- Impatience
- Rejet
- Respect
- Bienveillance
- Tolérance
- Douceur

Attention, on ne peut donner deux choses de nature différente en même temps ! Je donne des sourires, et je recevrai des sourires. *À moins que*, dans mon for intérieur, je ne vive de l'indifférence à l'égard de l'Autre ; je donne ainsi l'apparence de quelqu'un d'accueillant (un masque de sourire). Ce que je recevrai sera de l'indifférence parce qu'on perçoit davantage ce qui se vit à l'intérieur de l'Autre que ce qu'il manifeste à l'extérieur. Je ne peux donner l'amour et l'agressivité en même temps. Ma vibration intérieure sera toujours celle qui sera captée par l'autre personne. Je ne peux me leurrer et leurrer l'Autre. Je devrai donc choisir ce que je veux donner *et* recevoir, en n'ayant qu'un seul choix.

Si je vous ai déjà jugé comme une personne non intéressante, lorsque j'entre en contact avec vous, je prends la décision d'être gentil pour obtenir égoïstement ce que je veux : vous vendre ma salade ! Je réussis, mais un sentiment d'amertume reste en moi et je n'ai rien vécu de Bon parce qu'aucune relation réelle ne s'est établie ; je me sens encore seul.

Résultat : À l'extérieur, je donne du Bon. En même temps, à l'intérieur, je donne du mauvais. Ce que je reçois, c'est du mauvais.

Égoïsme (il n'y a que moi) + l'Autre (il est inintéressant) + relation faussée (fossé entre nous) = solitude.

Dans le négatif, il n'y a pas deux choix. Si je choisis de démontrer mon agressivité à l'extérieur, il est impossible que je sois motivé par une douceur intérieure; je recevrai à coup sûr de l'agressivité.

Conclusion: Si je veux recevoir du Bon, je ne donne que du Bon.

Je donne du Bon et je reçois du mauvais: pourquoi?

Nathalie se sacrifie constamment pour ses enfants. Elle ne pense qu'à eux, donc il n'y a plus de place pour elle. C'est vrai qu'elle donne du Bon à l'extérieur, mais elle ne réalise pas qu'elle se donne du mauvais, puisqu'elle ne pense qu'à eux et s'oublie. De plus, pour continuer à croire à quel point elle est bonne, elle se reproche constamment de ne pas en faire assez, tout cela en croyant que c'est du Bon. Et voilà que les enfants de Nathalie lui démontrent exactement ce qu'elle se dit intérieurement; ils sont toujours insatisfaits d'elle et lui disent: «Tu n'as pas fait ceci... Tu n'as pas fait cela...», et ainsi de suite. Croyant qu'elle n'en donne pas assez, elle se fait dire à l'extérieur ce qu'elle pense d'elle intérieurement. C'est le don qu'elle se fait, et c'est ce qu'elle reçoit.

Ses enfants sont ingrats envers elle et deviennent égoïstes. Ils lui reflètent son propre égoïsme, parce qu'en réalité elle ne pense qu'à elle en faisant ces faux dons pour se faire aimer au lieu d'aimer en s'aimant. Parce qu'aimer, c'est s'aimer et aimer l'Autre. Elle se leurre et dénie le don de mauvais qu'elle se fait à elle-même. Alors que si elle donnait du Bon à ses enfants tout en se gratifiant elle aussi du même don, elle recevrait d'eux, automatiquement, le retour du Bon.

Résultat: À l'extérieur, elle donne du Bon. En même temps, à l'intérieur, elle se donne du mauvais. Ce qu'elle reçoit: du mauvais.

Lorsque je me sacrifie en silence, j'ai un petit carnet de reproches à côté de mon cœur, dans lequel j'écris tout ce qui me fait souffrir. Un jour ou l'autre, au moment opportun, lorsque l'Autre ne se comportera pas selon mon attente, je sortirai mon carnet et lui reprocherai son égoïsme, son manque d'égard envers moi, tout en l'accusant d'être la cause de mes souffrances. De plus, quand je donne trop, l'Autre m'en veut, parce qu'il a l'impression que je me prive pour lui et qu'il devrait me donner plus que ce qu'il m'offre actuellement. Il sent l'inégalité. Cela nous éloigne du Nous.

Jérôme se donne beaucoup en ne pensant qu'à lui : une sortie avec ses amis chaque semaine et du bon temps à déjeuner avec des collègues au restaurant chaque midi. Tous les week-ends, il va au chalet avec sa nouvelle copine. Il travaille beaucoup et achète tout à ses enfants, comblant leur moindre désir, et même encore plus. À le regarder aller, Jérôme semble heureux. Sauf que ses deux enfants vivent beaucoup de manques affectifs, qui se répercutent dans leurs comportements anxieux, colériques et autoritaires envers leur mère, qui ne se gêne pas pour rappeler à Jérôme toute la souffrance qu'elle éprouve. Lui qui se donne beaucoup de Bon et qui croit donner beaucoup de Bon à ses enfants, comment se fait-il qu'il ne reçoive pas que du Bon ? La réponse, c'est qu'il ne donne du Bon qu'à lui par égoïsme. Le mauvais qu'il se donnera est le risque de vivre un jour un réveil brutal, qu'il croira irréversible. Ses enfants sont très affectés et le manifesteront au même degré d'égoïsme que lui en étant indifférents et arrogants au moment où il s'y attendra le moins.

Manipuler pour recevoir, c'est vouloir avoir quelque chose de l'Autre tout en abusant subtilement de son pouvoir afin que celui-ci réponde à nos besoins et à nos attentes. Le parent qui se sent coupable de ne pas avoir ce qu'il faut intérieurement pour combler son enfant et qui réagit négativement devant les comportements de celui-ci donne beaucoup d'objets matériels pour compenser son manque de dons véritables. Inconsciemment, il cherche à acheter l'amour de son enfant de peur de ne pas être aimé. Alors qu'il devrait *donner* de l'importance à son enfant, du temps véritable, s'intéresser à lui, à ce qu'il vit, s'arrêter pour l'écouter, s'impliquer dans sa vie et dans celle de sa famille, il achète à l'enfant des objets qui compenseront son manque d'amour. Pour avoir la participation de son petit, il fait du chantage émotif. Il lui énumère tous les dons matériels et même les sacrifices qu'il fait. Alors qu'au fond de lui-même il sait très bien que ce qu'il donne n'est que pour satisfaire son propre désir de recevoir ce qu'il attend de son enfant. Il fait des dons extérieurs, des coquilles vides – des objets, des sorties, de l'argent –, pour que son petit l'écoute. Il se sent mal d'abuser et l'enfant se sent mal aussi, ce qui crée de la culpabilité et de l'éloignement entre eux. Il ne règle rien, et c'est pour cela que dans certains cas, à l'adolescence, il y a indifférence, révolte et conflit.

Le parent guide et complice donne et se donne à lui-même, il n'oublie pas de prendre sa part en prenant soin de lui. Il s'implique pour partager avec ses enfants. Ceux-ci aiment être avec lui, se sentant bien soutenus par ce parent guide. Il s'engage envers lui-même et sa famille, voyant son importance et sa valeur personnelle tout en reconnaissant celle de chacun de ses enfants. Il soutient le tout avec douceur, il offre une nourriture affective constante et cohérente qui permettra à tous de vivre dans un encadrement sécurisant.

N'oublions pas que lorsque je suis aimant, j'attire des aimants. Au contraire, lorsque je suis non aimant, je repousse l'amour, et cela m'empêche de recevoir des dons aimants.

Un échange trompeur

Duper pour obtenir ce que je veux en déguisant mes demandes en bonnes intentions a souvent comme but caché que l'Autre fasse ce que moi-même je ne fais pas. Je me leurre et je leurre l'Autre. Pour obtenir ce que je veux, je dois faire du marchandage, à l'image des premiers colonisateurs qui débarquèrent en Amérique ou de nos ancêtres commerçants: donner peu et obtenir le maximum – «Je te donne un petit miroir et tu me donnes vingt grandes peaux de fourrure». Si je demande du temps à mon enfant pour quoi que ce soit et que je lui en consacre peu, il sent ce déséquilibre entre le don que je lui demande et ce qu'il reçoit. Il n'a pas plus d'intérêt que j'en ai. C'est le plus futé, ou celui qui possède le plus de pouvoir, qui profitera de toutes les occasions et qui gagnera. Si je fais une demande à mon enfant, je dois lui en donner autant. S'il n'y a qu'un seul gagnant, il y aura forcément un perdant. Et ce gagnant, qu'obtient-il en réalité? Il se leurre parce que ce qu'il gagne, c'est l'indifférence, la révolte ainsi que la perte de confiance et d'une relation véritable. Ce parent s'enseigne à lui-même qu'il ne peut pas compter sur lui et transmet à son enfant qu'il doit se méfier et qu'il ne peut pas faire confiance, ce qui rend ce dernier anxieux et peu sûr de lui, qu'il soit rebelle ou soumis. Au bout du compte, ce parent paie le fort prix, à court ou à long terme: il perd sa relation de rapprochement et de complicité avec son enfant, et il n'obtiendra pas non plus sa participation.

Le parent guide et complice se respecte et respecte son enfant, qu'il soit petit ou adolescent. Dans l'exemple qui suit, il lui adresse six demandes (colonne de gauche). Vous remarquerez qu'il y a plus de dons (colonne de droite) que de demandes formulées. Il est normal au début, pour un enfant comme pour une jeune plante, d'obtenir plus d'attention de la part de celui qui amorce la croissance. On sait que l'enfant est fait pour recevoir, et l'adulte pour donner. Si l'enfant a reçu, il prend la relève et se met à donner comme il a reçu. L'adolescent qui n'a pas reçu devrait être considéré comme un petit qui a besoin que nous le nourrissions et que nous compensions en doublant le don et en ne nous laissant pas piéger par nos jugements sur lui. Soyons son complice aimant tout en partageant avec lui.

Demandes

- Se lever à l'heure.
- Prendre un déjeuner nutritif.
- Se brosser les dents.
- S'habiller selon la température.
- Faire son lit.
- Apporter toutes les choses nécessaires pour vivre une belle journée.

Dons

- Je lui achète un réveil.
- Je règle l'heure avec lui le soir avant qu'il s'endorme.
- Je l'accueille avec douceur.
- Les consignes sont clairement affichées (notes écrites, pictogrammes ou collages).
- Je lui donne des choix de repas.
- Je lui permets de choisir la musique.
- Je le félicite et l'encourage à la moindre action positive.
- Au début, nous faisons son lit ensemble en nous amusant et en créant un lien.
- Avec un adolescent, j'inscris à mon agenda un moment privilégié à passer avec lui.

Donner en premier : la clé pour recevoir

Partager, c'est échanger affectueusement et exprimer verbalement ce que l'on ressent avec satisfaction, gratitude et reconnaissance ; ce sont des paroles prononcées avec douceur, amour et sensibilité :

- un « Je t'aime ! » lancé à la volée ;

- « Il est bon, ton repas ! », dit tout simplement, parce que je suis comblé et que je comblerai l'Autre en le remerciant ;

- « Je suis content de te voir ! », parce que j'aime partager et m'enrichir de l'Autre ;

- « Tu es merveilleux. Je suis chanceux de t'avoir dans ma vie ! », dit à son conjoint ;

- une appréciation exprimée à mes propres parents en présence de mes enfants : « Merci maman ! », « Merci papa pour tout ce que tu m'apportes ! », « J'aime quand nous partageons ensemble ! », « Je suis heureux quand nous nous réunissons en famille ! ».

Ces messages ont un effet potentiel extrêmement puissant sur l'Estime de Nous. Comme une onde émise par un poste radio, il est important de se syntoniser sur le bon canal, qui produit des sons agréables pour l'oreille et pour le cœur (paroles aimantes) – et les possibilités sont abondantes ! – plutôt que d'écouter le grincement (paroles de jugements) d'un appareil mal ajusté. Les pensées aimantes derrière ces paroles constituent une nourriture intérieure extrêmement enrichissante pour chacun.

Profitez aussi de ces moments pour toucher l'Autre avec amour, tendresse, gentillesse et avec une véritable compassion qui veut dire : « Je marche à côté de toi et je nous vois heureux, épanouis, gagnants, ensemble au fil d'arrivée. » Ça, c'est touchant ! Le partage, c'est la « réunion », unir une famille heureuse.

Le parent guide et complice témoigne son appréciation le plus souvent possible, même avec les tout-petits : « J'apprécie que tu m'apportes ton aide pour sortir les sacs d'épicerie de l'auto. C'est bienveillant à mon égard. Merci beaucoup ! », ou encore « J'ai beaucoup apprécié que tu aies parlé à voix basse pendant que je discutais au téléphone. J'ai remarqué ton attention. Merci de cette considération envers moi. Tu as vraiment été respectueux ».

Ressentez consciemment les effets de ces paroles en les exprimant vous-même. Si elles ne sont pas prononcées dans votre environnement, semez-les en premier. Elles feront partie de votre vie quotidienne.

Je dois faire attention à tout ce que je donne de négatif: cela aussi me revient. Je fais le choix conscient de refuser mes pensées d'attaque contre l'Autre parce qu'en réalité je me les donne à moi-même. Ce que je perçois de l'Autre est ce que je perçois de moi-même.

Ce que Pierre pense de Paul en dit souvent plus sur Pierre que sur Paul. Ce que je pense de Pierre en dit plus sur moi que sur Pierre.
Aucune rencontre n'arrive par hasard, Kay Pollak

Étant devenu conscient de mon meilleur intérêt, j'arrête d'être dur avec l'Autre pour être capable d'arrêter d'être dur envers moi-même. Quand j'attaque avec des paroles qui ne sont pas élevantes, je m'éloigne de mon Bonheur.

N'attendons pas que les autres nous fassent ces dons. Ce que nous voulons recevoir des autres, cessons d'attendre qu'ils nous l'offrent et *donnons en premier.* J'aimerais que mon enfant reconnaisse mes qualités: je n'attends pas. Je lui souligne ses qualités le plus souvent possible. Il se mettra à faire de même pour moi. Avancez-vous et donnez, et si vous le faites sincèrement, tout cela vous reviendra multiplié.

La grande prise de conscience qui mène au don véritable consiste à arrêter de vouloir obtenir des autres ce que je crois que je n'ai pas à l'intérieur de moi. Il me faut cesser de vouloir recevoir des autres, croyant gagner plus que ce que j'ai, puisque c'est déjà plein à l'intérieur de moi. Comment puis-je vivre dans l'abondance quand je crois qu'il y a pénurie ou manque à l'intérieur de Moi?

Gabriel croit que personne ne lui donne de l'attention. Il dérange pour aller la chercher et ainsi ne la reçoit que négativement. S'il réalisait que pour obtenir de l'attention véritable il n'a qu'à donner de l'importance aux autres en premier, son entourage serait plus attentif à lui et les résultats seraient positifs pour tous.

Je me demande ce que j'aimerais recevoir

«Quelles sont les paroles que j'aimerais que l'on me dise ou que j'aimerais entendre?» Ce sont exactement ces paroles que je devrais prononcer (donner aux autres). Vous serez surpris des effets et vous commencerez à les entendre tout autour de vous, puisque vous les aurez données en premier.

«Quelle manière d'être et quelles attitudes est-ce que j'aimerais que les gens que j'aime et tous ceux que je rencontre adoptent envers moi?» C'est exactement cette manière d'être et ces attitudes que je devrais manifester envers les autres.

Voilà un phare qui orientera mes journées et qui contribuera à coup sûr à ce que je vive des moments heureux parce que tous, Moi et l'Autre, seront nourris de Bon, ce qui contribuera à nourrir notre intérêt commun: le Nous. Il n'y a aucune crainte d'être abusé en donnant véritablement, car ceux qui sont abusés ont des intentions cachées pour obtenir quelque chose des autres en les manipulant; ils reçoivent ce qu'ils donnent, c'est pour cela que la situation tourne mal.

Dans ces cas, je devrais toujours me poser la question suivante: «Qu'est-ce que j'ai donné en premier par ma pensée? Des jugements, des comparaisons? Par mes paroles? La malhonnêteté, l'incohérence? Et par mes gestes et mes attitudes? La dureté, l'impatience, l'agressivité?» Quand j'ai fait une introspection honnête et que j'ai reconnu ma responsabilité – le fait que tout part de Moi –, je réalise que je ne suis pas victime et je reprends mon pouvoir en me posant cette autre question: «Qu'est-ce que j'ai oublié de donner de bon, de vrai dans cette situation afin qu'elle tourne bien?» Ayant dépassé mes blocages, j'agirai à la source. Une énergie nouvelle m'habitera, ce qui me permettra de donner sans effort.

Les conflits ont comme base l'égocentrisme. Chaque don choisi et offert à l'Autre avec conscience m'éloigne des conflits.

Par mes interventions, j'aurai un impact très puissant sur la vie de mon enfant et, indirectement, sur la mienne. Voilà l'importance de reconnaître et de partager ce qui est bon chez nos enfants pour permettre à la bonté d'émerger en Nous.

Si, par le passé, nous avions tendance à ignorer le Bon et à soulever surtout le mauvais chez notre enfant ou notre adolescent – ce qui a eu pour effet de diminuer son estime personnelle –, cessons nos reproches et revoyons-le avec un regard neuf. À la lumière de cette prise de conscience, développons l'habileté à voir le Bon. Et du Bon, il y en a ! Il est caché derrière nos peurs. Mettons en œuvre une *nouvelle façon* d'être en relation véritable sans avoir à l'esprit ces nuages noirs qui nous empêchent d'avoir une perception juste et vraie de la réalité.

Le Bon est là chez votre enfant, à l'intérieur de lui, n'attendant que d'être reconnu pour s'extérioriser. Vous accomplirez des miracles et une transformation radicale dans sa vie et la vôtre par la simple application de cette piste: plus vous verrez le Bon et le Beau en lui, plus vous verrez le Bon et le Beau en vous. Observez aussi l'impact de cette application dans tous les domaines de sa vie et de la vôtre !

Il ne peut y avoir reconnaissance et émergence du Bon en moi si mon regard se pose sur le mauvais chez les autres.

Cette accumulation de dons choisis en toute conscience dans le présent sera garante d'une estimation élevée de Nous. Appliquez ces pistes avec votre enfant et observez l'intérêt partagé que vous vous porterez.

L'importance de partager verbalement

Pour que ce don s'extériorise, s'exprime et soit reçu, il ne s'agit plus seulement de le penser, mais de le dire et de le confirmer. Complimenter mon enfant doit aussi être fait d'une manière honnête.

Dans le film *Pour le meilleur et pour le pire*, le personnage grotesque joué par Jack Nicholson est incapable de complimenter qui que ce soit. Alors qu'il vient de dire une insanité à la femme personnifiée par Helen Hunt, elle le somme de lui faire un compliment tout en le menaçant de partir s'il ne s'exécute pas immédiatement. Résigné, il lui dit : « D'accord, je vais vous dire un merveilleux compliment et en plus, *il est vrai* : depuis la première fois où je vous ai rencontrée, vous m'avez donné l'envie de devenir meilleur. » Et Helen Hunt de répondre : « C'est le plus beau compliment que l'on m'ait fait de toute ma vie ! »

L'écho de ces paroles demeure à jamais gravé en moi, comme une richesse inestimable qui me fait reconnaître le trésor que je possède et que je peux offrir à tous.

Comme enfant, si mes qualités sont reconnues et nommées par une personne déterminante dans ma vie (parent, éducatrice, enseignant, personne d'influence), cela aura un effet puissant sur moi. Un enfant de moins de 7 ans ne peut remettre en question ce qu'on lui dit. Lui affirmer qu'il a telle qualité intérieure, lorsque c'est soutenu par des actions qu'il accomplit, favorise le développement de celle-ci.

Profitez de la moindre occasion où l'enfant manifeste une qualité intérieure (le Bon en lui). Nommez la qualité avec enthousiasme : elle grandira et, avec votre soutien, il la développera davantage. Imaginez toute la grandeur de l'impact positif que cela aura dans sa vie et ce qu'il pourra apporter aux autres ! N'est-ce pas le genre d'héritage que vous aimeriez léguer à vos enfants et aux générations futures ?

Vous trouverez dans les pages suivantes cinquante-deux exemples de qualités intérieures que vous pouvez révéler à vos enfants tout au long de l'année. Ce partage est un placement qui permet de faire ressortir des qualités dissimulées auparavant et d'enrichir le vocabulaire de vos enfants en nommant de façon claire celles qu'ils manifestent.

Le parent guide et complice partage au moins une qualité par jour avec son enfant. Deux c'est mieux, et trois encore mieux ! Elles peuvent être écrites. Imaginez un enfant qui reçoit un petit mot d'appréciation de sa maman ou de son papa !

Un truc. Écrivez-lui votre message et mettez-le dans une enveloppe adressée à son nom, en l'intitulant: *Un mot express aimant pour toi!* Postez-le, puis voyez sa réaction et le Bonheur commun que cela créera. Ou encore, exprimez-le-lui en pensant à lui révéler l'impact positif de ses actions. Ce qu'il retiendra sera davantage cette partie valorisante qui l'incitera à répéter ses actions. Ça, c'est élevant! Constatez les résultats.

Qualités	Impacts
Quel bel exemple de *générosité* ce que tu viens de faire! Bravo!	Ta sœur avait l'air tellement heureuse!
Merci d'avoir été aussi *patient*.	Je me suis senti épaulé.
Cela me soulage quand tu m'aides comme tu le fais. Tu es *serviable*!	Cela me libère.
Tu as de l'entrain, tu mets de la vie partout. Tu es toujours *joyeux*.	On a du plaisir avec toi!
Tu es plein de *douceur*. C'est bon d'être près de toi.	Merci de mettre autant de chaleur dans notre maison.
Merci d'avoir encouragé ta sœur. Tu es vraiment *élevant*!	C'est constructif.
Tu es *responsable*. Je peux compter sur toi!	Et cela me met en confiance.
Tu es mon rayon de soleil. Tu es *rayonnant* avec ta bonne humeur!	C'est contagieux.
Je n'en reviens pas comme tu es *bienveillant*!	Cela m'incite à faire de même.

Qualités	Impacts
Tu t'exprimes facilement. Tu es un habile conteur. Tu es *imaginatif*!	Cela colore notre vie.
Ton sourire illumine toute notre maison, tu es *lumineux*!	C'est communicatif.
Je vois que tu es *confiant*. Cela va te permettre de réussir!	Tout est possible maintenant.
J'ai pensé à ta collection. Je sais que tu es un *passionné*!	J'aime voir ton intérêt.
Je te félicite. Tu es *fonceur*. Ça a donné de bons résultats!	C'est encourageant.
Tu es vraiment *ambitieux*. Tu vas aller loin!	Tu y as droit.
Tu penses souvent aux autres. Tu es *attentionné*!	Quel beau modèle pour nous!
Je te trouve *entreprenant*. Tu oses et tu es tenace. Continue, ça va bien.	Cela te permet d'évoluer.
J'aime ta belle *sensibilité*, tu es plein d'égard envers les autres.	J'aime être près de toi.
Tu as fait ce que tu avais dit que tu ferais. Bravo, tu as été *cohérent*!	On peut se fier à toi.
J'aime voir ta *détermination*.	Cela m'inspire à faire de même!
Je t'ai trouvé *tolérant*. Ça n'a pas dû être facile pour toi!	Bravo, tu as réussi à te maîtriser!
J'aime te voir ainsi, tu as l'air *épanoui*!	C'est rassurant de voir que tu deviens autonome.

Qualités	Impacts
Tu as une belle façon de voir les choses. Tu es *optimiste* !	Quelle belle ouverture cela m'apporte !
J'aime rentrer et que tu viennes me faire ton bisou. Tu es *accueillant* !	Je me sens aimé.
Tu es *positif*.	Tu es déjà gagnant, quoi qu'il arrive !
Tu as souvent des idées. J'aime tes suggestions. Tu es vraiment *ingénieux* !	Cela profite à tous.
C'est vraiment *respectueux* ce que tu as fait.	Merci pour l'exemple que tu donnes !
Ton courage te permet de te surpasser ! Comme tu es *brave* !	Cela nous motive.
Tu es un bon *communicateur* ! Tu aimes parler aux gens. Tu es *sociable* !	On se sent bien avec toi.
Tu es *prévenant*. Tu as eu plein de petites attentions envers nous.	Cela nous a touchés !
Merci d'avoir pris soin de ton petit frère, tu as été *attentif* envers lui !	Cela lui a fait du bien.
On a passé de belles heures à ramasser les feuilles mortes. Tu es *travaillant* !	Cela m'a rendu un grand service.
Tu es *enthousiaste*, cela me donne de l'énergie !	Cela nous incite à créer d'autres projets.

Qualités	Impacts
Tu apprécies et tu es *reconnaissant*.	Pour cette raison, j'aime te cuisiner de bons plats !
Tu es *dynamique*, une vraie boule d'énergie.	Cela me remplit de vie !
Comme tu es *brillant*. Je n'en reviens pas comme tu apprends vite !	Tu m'apprends tellement de choses.
Tu es vraiment *honnête* et franc. C'est prometteur.	On peut vraiment te faire confiance !
Tu es *débrouillard*. Tu trouves toujours des solutions !	Tout devient simple avec toi.
Comme c'est bon de se sentir compris ! Tu es *empathique* !	Je me sens appuyé.
Je remarque que tu es *ouvert*.	On n'a pas l'impression que tu nous juges. Merci !
Je peux maintenant te demander de verrouiller la porte. Tu es *fiable*.	C'est rassurant !
Tu as écrit un mot à grand-maman qui est malade. Tu es *compatissant* !	Cela l'a touchée.
Tu as dit la vérité plutôt que de petits mensonges. Tu es *sincère* !	C'est tout à ton honneur.
Tu ne l'as pas abandonné malgré sa difficulté. Tu es *fidèle* !	Cela l'a rassuré.
J'aime quand tu m'aides à l'épicerie. Tu es *avenant*.	Grâce à toi, je n'oublie rien !

Qualités	Impacts
Tu avais la possibilité de faire à ton goût, mais tu as été *obéissant*.	Merci, je me suis senti soutenu.
Je trouve qu'il y a beaucoup de *bonté* à l'intérieur de toi ! Tu as du cœur.	C'est édifiant pour Nous.
J'ai constaté que tu avais partagé ton jouet avec tes amis. Tu es *raisonnable* !	Tout le monde était content.
C'est facile pour toi, la musique, tu es *doué* !	Quel beau talent que tu peux partager !
À la remise des diplômes, tu étais *resplendissant*.	Cela m'a fait plaisir de te voir aussi heureux !
Tu as bien réparti le gâteau. Tu as été *juste* !	Tout le monde était content.
Tu te lèves souvent de bonne humeur. Tu es *constant* !	Cela illumine nos matins.

Imaginez la différence quand on fait grandir le mauvais chez notre enfant. Si on le reconnaît négativement chez lui, il ne pourra pas faire autrement que de le développer. Voici quelques exemples négatifs. Cinq suffiront pour vous faire la démonstration. Ces révélations négatives créeront une faillite relationnelle à coup sûr, puisqu'elles éloigneront celui qui les recevra.

- Tu es *dur*. Ce que tu fais n'est pas gentil !
- (Avec ironie) Merci d'avoir encore dénigré ta sœur. Tu es vraiment *abaissant* !
- Tu es tellement *irresponsable* qu'on ne peut jamais compter sur toi !
- Tu es toujours *maussade*. Tu as le don de nous déprimer tous !
- Je n'en reviens pas comme tu es *égoïste* !

Lorsque Pierre était jeune, sa mère le trouvait très agité, elle semblait déçue de lui. Pour se reprendre, elle disait aux autres : «Dans le fond, il est bon», mais elle ne précisait jamais au garçon les qualités qu'il avait «au fond». Alors, le seul message qu'il recevait était : «Je suis méchant.» Dommage qu'elle n'ait pas nommé ce Bon en lui, ce qui l'aurait aidé à se percevoir comme bon et à pouvoir donner ce Bon, car la seule information qu'il avait était : «Je suis agité et tannant.» C'est ce qu'il donnait.

Une objection apparaît parfois lorsque nous transmettons la piste «Être détecteur de potentiel» : «Lorsque le comportement de mon enfant n'est pas bon, je ne vais quand même pas lui dire qu'il est bon !» En effet, il serait inapproprié d'appliquer cette piste dans un tel cas, puisqu'elle ne convient pas. Ce que nous vous suggérons, c'est de faire ressortir chaque bonne action, si minime soit-elle.

Si nous refusons de mettre l'accent sur le mauvais, il s'atténuera et disparaîtra même parce que non validé. Si l'enfant manifeste un comportement dérangeant récurrent, parce qu'un de ses besoins vitaux n'est pas comblé, empressez-vous de nourrir ce besoin, ce qui résoudra la difficulté[5].

---

5. Voyez nos nombreuses solutions dans le livre *Être parent, mode d'emploi* aux Éditions Quebecor. Faire le test qui y est suggéré vous permettra de cibler d'une façon précise le besoin à combler.

CHAPITRE 4

UNE VOIE RAPIDE POUR ÊTRE HEUREUX : HUIT ACCÉLÉRATEURS DE TRANSFORMATION

Pour atteindre mon but – la paix et le Bonheur constant pour Moi et les miens –, je dois d'abord établir la valeur de ce que je veux développer. Motivé par la conscience de la grandeur de ce que je veux atteindre, il me sera facile d'appliquer les moyens d'y arriver avec le soutien des 8 C. Ils deviendront les accélérateurs utiles pour tous les accomplissements suggérés dans ce livre.

Je dois donc me poser honnêtement la question suivante : « La paix véritable provenant de l'intérieur et le Bonheur constant pour Moi et les miens – le Nous –, est-ce que cela a une grande ou une petite valeur pour moi ? » Si vous répondez « une grande valeur », un peu de bonne volonté, pas plus gros qu'un grain de sable, sera suffisante pour vous propulser dans l'application des moyens suggérés et pour que cela se produise.

Voici huit accélérateurs. Chacun d'entre eux constitue une voie rapide qui permet d'augmenter la vitesse pour atteindre le fil d'arrivée. Une sorte de GPS qui donne une direction, accompagné d'un GBS (le gros bon sens). Les 8 C – être constant, cohérent, conséquent, conscient, confiant, convaincu, consentant et complice aimant – sont des qualités qui, une fois mises en pratique, assureront une transformation réelle qui me permettra d'atteindre rapidement les objectifs que je me fixe : la paix et le Bonheur pour Moi et les miens.

Le contraire – être inconstant, incohérent, inconséquent, inconscient, sans confiance, sans conviction, sans consentement et non complice aimant – ralentira ma transformation vers les buts que je poursuis.

Tous les jours, nous utilisons déjà les 8 C. La seule erreur que nous commettons est de nous en servir souvent dans une direction opposée à notre but réel. Tout ce que nous aurons à faire, c'est de les transformer en les orientant vers notre objectif, qui est l'élévation.

Alors, répondez à la question suivante: «Dans quel tableau est-ce que je me situe le plus souvent?»

Tableau 1
• *Je suis inconstant.* Je me réveille parfois avec des pensées négatives et tristes, et parfois avec des pensées heureuses.
• *Je suis incohérent.* Je trompe les autres d'une façon subtile. Je dis des paroles qui sont contraires à ma pensée. Je demande à mon enfant de faire ce que je dis, mais au fond je ne le fais pas moi-même. Par exemple, je lui demande de ne pas médire contre les autres, et moi-même je suis médisant.
• *Je suis inconséquent.* Je veux être heureux, mais je m'autocritique et je critique tout; je ne suis jamais satisfait. Il me manque toujours quelque chose pour être heureux.
• *Je suis inconscient.* Je suis souvent dans le passé et le futur, donc je ne suis pas présent au présent.
• *Je ne suis pas confiant.* Je ne me fie qu'à moi, je doute des autres et de la vie. Aucune confiance réelle ne m'habite.
• *Je ne suis pas convaincu.* Je crois qu'il existe de grandes valeurs, mais j'accorde de l'importance à ce qui n'en a pas: l'extérieur, le paraître, le superficiel, le matériel, tout en connaissant leur impermanence.

- *Je ne suis pas consentant.* J'aimerais avancer dans la vie, mais je m'arrête à la croisée des chemins, ne choisissant pas mon but réel et ne m'engageant pas. Je procrastine en remettant à plus tard, d'où mon sentiment d'échec.

- *Je ne suis pas un complice aimant.* Mon orgueil me coupe d'une véritable relation aimante avec moi-même et avec les autres.

Tableau 2

- *Je suis constant.* Je me réveille toujours «de Bonheur» et dans la joie.

- *Je suis cohérent.* Mes paroles correspondent à ma pensée. Je dis: «Fais ce que je te dis parce que c'est ce que je fais. Et ce que je fais est bon pour Moi, bon pour toi et bon pour Nous.»

- *Je suis conséquent.* Je suis heureux et satisfait. J'apprécie, je vois le Bon et le Beau dans ma vie. Je reconnais que j'ai tout intérieurement pour vivre des conséquences heureuses.

- *Je suis conscient.* Je suis dans le ici et «main tenant», présent à moi et aux autres.

- *Je suis confiant.* J'ai la certitude que je peux me fier à moi et aux autres. Une confiance réelle m'habite.

- *Je suis convaincu.* Je suis convaincu qu'il existe de grandes valeurs et j'y adhère en les vivant réellement.

- *Je suis consentant.* Je suis consentant à avancer sur une seule voie, celle de la réussite et de l'abondance. J'agis en m'y engageant.

- *Je suis complice.* Je suis un complice aimant, humble, attentionné envers Moi et envers l'Autre.

Dans les pages suivantes, nous développerons les trois premiers accélérateurs. Ils constituent un tout congruent et établissent la base fondamentale pour accéder au Bon. Les autres accélérateurs seront développés dans les prochains chapitres.

Premier accélérateur de transformation : être constant

La constance est la qualité de ce qui est durable et stable, qui se reproduit ou se répète de façon identique, continuelle, permanente – Bonheur constant. La constance au Bon et à la joie permet d'atteindre la sécurité et un ancrage par rapport à ce que l'on veut développer. Une personne qui est constante est résolue et persévérante dans ses actes, dans ses sentiments, etc.

Cette constance que vous percevez peut-être comme un fardeau ne vous posera plus de problème parce que vos lumières sont maintenant allumées quant à l'impact du Bon, et vous ne voudrez plus jamais être comme avant. Et aussi parce que l'objectif que vous voulez atteindre, la joie, a pour vous une grande valeur en soi, puisque lorsqu'on ne choisit pas la constance à la joie, la tristesse prend la place. Agir consciemment pour votre bien-être et celui des personnes qui vous sont chères, vous lever «de Bonheur», vous élever et élever les autres fera partie de votre quotidien parce qu'agir pour votre mal-être – vous lever «de malheur» et abaisser – ne sera plus possible pour vous. Les mauvaises pensées qui vous hantent maintenant sembleront de plus en plus distantes et loin de vous, pour ne presque plus se vivre. Vous vous apercevrez un jour que mettre en pratique la constance à vous lever «de Bonheur» et dans la joie aura vraiment porté ses fruits. Vous sortirez presque toujours du lit avec des pensées de paix, des pensées énergisantes qui influenceront votre journée.

Plutôt que de mettre des efforts inutiles et de perdre votre temps à vouloir faire disparaître le mauvais, concentrez votre énergie d'une façon constante pour semer du Bon. Plus vous vous concentrerez sur le Bon, plus vous réaliserez que le mauvais ne fait plus partie de votre vie.

La résistance et l'opposition au changement induisent l'inconstance

Pourquoi hésitons-nous à entreprendre de véritables changements pour être constants à la joie ? C'est parce que nous résistons à laisser aller les petits bénéfices que nous récoltons en étant inconstants : un jour, je choisis le Bonheur et l'autre jour, je me laisse aller à la tristesse. Cette alternance me permet de croire que j'ai la liberté de contrôler ma vie. Par paresse, je retarde le moment pour choisir et agir. Je ne crois pas que j'en vaux la peine. Je n'ai pas encore établi la valeur de ce à quoi j'aspire. Croyant que la vie va arranger les choses, je remets toujours à plus tard ma guérison intérieure. J'attends que la montagne vienne à moi plutôt que de me mettre en marche vers elle. Je m'aperçois finalement que j'en suis toujours au même point, continuant à avoir peur de ne pas arriver à mes objectifs et me plaignant des autres et des événements, persuadé qu'ils sont la cause de mes difficultés. Comme le disait Sartre : « L'enfer, c'est les autres ». Les gens souhaitent que les autres changent pour que leurs problèmes (l'enfer) disparaissent.

Lorsqu'une personne se laisse conduire par la vie, elle tend à prendre une direction qui l'amène vers le bas. Heureusement, il y a une limite à la souffrance. La dépression viendra mettre un terme à son inaction et elle devra choisir entre la maladie physique et émotionnelle… ou diriger sa vie vers l'énergie qui, elle, est illimitée.

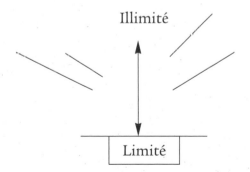

Illimité

Limité

Deuxième accélérateur de transformation : être cohérent

La cohérence est l'équilibre, l'harmonie entre la pensée, les paroles et les actions. La pensée n'est pas contredite par la parole et s'harmonise avec les actions. Prendre la décision d'être cohérent, c'est prendre la décision d'être honnête.

Pour que je renforce ma constance à choisir la joie, ma cohérence devra être une ligne de conduite sans dérivation et empreinte d'honnêteté. Les résultats de la cohérence font en sorte que je me sens bien avec moi-même, ce qui m'enlève toute peur et me procure la sécurité tant recherchée ; il n'y a que ce que je garde caché qui me fait peur. Les mensonges que l'on se raconte à soi-même font naître la honte, ce qui nous éloigne des autres parce que nous avons peur des répercussions. C'est pourquoi la cohérence, dès le départ, devrait être l'honnêteté à l'égard de soi.

Le parent guide et complice cohérent est une personne d'autorité qu'on a le goût d'écouter et de suivre. Il a la confiance de son enfant parce qu'il est probe ; l'enfant ne sent pas l'hypocrisie de son parent, qui ne présente qu'un seul visage, authentique et transparent.

Le parent guide et complice est vigilant et conscient qu'il n'est pas seul à éprouver les effets de sa pensée. Il surveille ses pensées en voyant son enfant capable de dépasser ses limites actuelles.

Les pensées ne sont jamais neutres ni sans importance. J'agirai donc consciemment en les orientant dans le sens de mes objectifs réels, en étant cohérent et aimant dans mes pensées, mes paroles et mes actions.

Mes pensées

Cohérent ou incohérent?

J'aimerais que ma fille ait confiance en elle (pensée). Mais chaque fois qu'elle me parle de ses ambitions, je n'arrive pas à la voir réussir, estimant qu'elle ne sera pas capable mais lui laissant croire que j'ai confiance en elle. Cette non-confiance (pensée) est ressentie par mon enfant, qui perçoit mes jugements camouflés par cette fausse authenticité ; lorsque je dois m'investir dans ses rêves, je n'ai pas d'enthousiasme, n'ayant pas confiance. Moi qui aimerais tellement qu'elle ait confiance en elle! Suis-je cohérent ou incohérent?

J'aimerais que ma fille ait confiance en elle (pensée), mais je passe mon temps à lui dire des mots (paroles) qui détruisent sa confiance: «Tu es trop petite, tu es incapable, bébé, traîneuse. On ne peut jamais rien te demander, etc.» Les paroles que j'emploie – et qui parfois dépassent ma pensée – induisent le contraire de ce que je voudrais lui transmettre: la confiance en elle. Suis-je cohérent ou incohérent?

J'aimerais que ma fille ait confiance en elle (pensée). Je lui dis régulièrement des paroles élevantes: «Tu es passionnée, sociable, habile, courageuse, serviable, attentionnée, etc.» Mais lorsqu'elle me demande de l'aider ou d'assister aux événements artistiques auxquel elle participe, je ne suis jamais disponible (action). Suis-je cohérent ou incohérent?

Une valeur est très importante pour moi: la communication avec mon enfant. Actuellement, il m'est insupportable que mon fils passe des heures et des heures à clavarder sur l'ordinateur parce que je considère que c'est mauvais pour lui de rester assis pendant une longue période devant un écran et que je ne connais pas la nature de ses communications. Je suis frustré et je nourris une sourde colère, que je n'exprime plus, parce que je n'arrive pas à me faire écouter de lui. Je démissionne de mon rôle de parent ferme et convaincu de ses valeurs. Voilà l'incohérence: je le laisse faire. Lorsque nous agissons avec malhonnêteté et incohérence, les enfants nous le rappellent par leurs attitudes d'opposition ou d'indifférence.

Qu'est-ce qui se passe? Qu'est-ce qui ne tourne pas rond? Ma pensée ne correspond pas à mes actions. De plus, dans ma pensée, je suis en train d'abandonner ma valeur: celle d'entrer en communication chaleureuse avec mon fils. Ma conviction s'affaiblit, je finis par oublier cette valeur et je suis déçu.

Je suis en colère contre moi parce que, tout comme mon fils qui s'isole dans sa chambre, je m'isole dans mon mutisme et je ne communique pas. Je lui demande de communiquer, alors que j'en suis incapable. Soyons francs, la journée où je voudrai vraiment partager chaleureusement et où j'aurai pris la décision de faire les premiers pas – sans attendre que mon fils les fasse en premier –, je serai en mesure d'échanger véritablement avec lui; ma pensée, mes paroles et mes actions seront cohérentes, et inévitablement il sortira de sa chambre.

Le parent guide et complice agit selon ses valeurs et ses convictions. Il encadre son enfant avec amour et fermeté. Parce qu'il est cohérent, il n'a pas peur de perdre son amour. Au contraire, le parent incohérent n'ose pas être ferme et laisse faire. Par cette attitude, il perd le respect de son enfant, donc son amour. Dans l'exemple précédent, le parent devrait accorder à son fils un temps limité à l'ordinateur, avec droit de regard sur ses activités, échanger avec lui, partager avec amour, d'égal à égal, s'intéresser à lui et proposer des activités qu'ils aiment tous les deux. Le respect et l'amour s'installeraient entre eux, la relation serait Bonne et tous les deux y gagneraient. C'est ça, le Nous.

Chaque fois que mes actions ne correspondent pas à mes valeurs profondes, je suis déstabilisé et je déstabilise l'Autre.

Quant à l'incohérence, elle nous fait vivre dans un monde de contradictions insignifiant et chaotique; c'est une des raisons principales qui nourrit notre colère et la colère des autres. Une accumulation d'actions incohérentes nous déstabilise, nous contrarie, nous déçoit et retarde notre évolution vers le Bonheur. Je dis à mon enfant qu'il devrait faire quelque chose, et je ne le fais pas moi-même. Par exemple, je lui affirme: «Les études, c'est important. Il faut lire pour réussir dans la vie», et je n'ouvre jamais un livre.

Troisième accélérateur de transformation: être conséquent

Conséquence: suite logique entraînée par un fait qui en est la cause. Un être conséquent agit avec un esprit de suite, avec logique. Un homme conséquent dans sa conduite accepte d'être responsable de sa vie et fait des actions pour que leur résultat soit positif. Il n'agit qu'en fonction du but qu'il poursuit et qu'il a consciemment choisi. Il assume ce qu'il met en œuvre.

Être conséquent dans sa conduite accélère l'atteinte des buts recherchés. Le contraire, être inconséquent – se considérer comme la victime des conséquences que l'on vit et les subir – ralentit la possibilité de vivre des conséquences heureuses. L'être conséquent agit avec discernement, conscient des résultats qu'il veut atteindre. S'il connaît des difficultés, il ne se laisse pas abattre par le négatif. Il agit avec responsabilité et accepte les moyens qui correspondent à la fin ; il en retirera toujours quelque chose de positif.

Voici un exemple simple qui démontre que lorsque l'on souffre, on fait normalement ce qu'il faut pour régler la situation, *on ne laisse pas faire*. J'ai comme but d'entreprendre une belle randonnée en forêt. Tout à coup, mon pied me fait mal. Logiquement, je ne laisse pas faire parce que cela aura comme conséquence que je n'atteindrai pas mon but : vivre une belle randonnée. Comme personne responsable de mon bien-être, je m'arrête et je cherche la cause de mon inconfort. Réalisant qu'il y a un caillou dans mon soulier, sans perdre un instant je le retire pour ne plus souffrir, et je retrouve les effets d'une belle randonnée.

En va-t-il autrement lorsqu'il s'agit de causes non apparentes ? Pourquoi est-ce que je laisse faire et que je ne regarde pas à l'intérieur de Moi lorsqu'il s'agit de souffrances émotionnelles ou psychiques qui empoisonnent mon existence et celle de ma famille ?

Si mon but est le Bonheur pour Moi et les miens, tout ce que je ferai sera en fonction d'atteindre ce but. Nous vivons des souffrances qui se répètent sans cesse et nous laissons faire, ce qui a pour résultat la stagnation de nos souffrances, et nous n'avançons pas vers notre objectif. Pour être conséquent par rapport à mon but, je dois m'arrêter, regarder ce qui me fait souffrir et agir autrement pour être heureux avec ma famille.

Mon manque de structure et d'encadrement fait en sorte que ma famille et moi vivons dans un climat de tension et d'insécurité parce que les choses ne sont pas à leur place. Je passe mon temps à me plaindre du manque de structure de mes enfants. Les conséquences créent de la discorde entre nous et font en sorte que nous nous éloignons, moi qui aimerais tellement que mes enfants soient complices et que nous vivions dans un climat propice au Bonheur où régneraient l'ordre et la sécurité. Je ne suis pas conséquent parce que je laisse faire et que je n'utilise pas les moyens qui créeraient l'ordre. Je m'arrête et je regarde à l'intérieur de moi pour voir le désordre qui y règne. Réalisant comment nous sommes précieux, je ne perds pas un instant et j'agis.

Être conséquent, c'est être ferme et honnête

Je fais la promesse à mon enfant de l'amener à la pêche le samedi suivant. Je suis conséquent en respectant ma parole, ce qui renforce à mes propres yeux et aux siens ma rigueur à être constant et cohérent ainsi que ma possibilité de lui transmettre ces valeurs. Nous connaissons toutes les répercussions d'être inconséquent.

Je dis à mon enfant qu'on ne doit pas courir ou crier dans un restaurant ou au centre commercial parce que cela dérange les gens. Malgré mes avertissements, il continue de s'agiter. Je le prends par la main, je l'amène à l'auto pendant quelques minutes, ou encore nous retournons à la maison.

Certains penseront que le parent se punit lui-même en appliquant cette conséquence. En fait, dans un cas comme celui-là, sa véritable punition serait de laisser faire et de céder aux caprices de son enfant. À long terme, il perdrait complètement le respect de celui-ci et son autorité sur lui.

Mon adolescent doit rentrer à 21 h les soirs de semaine. Il dépasse le couvre-feu et arrive à 23 h. Je l'avertis que cela est important qu'il revienne à la maison à l'heure convenue pour être prêt à se coucher à 22 h, car il a de l'école le lendemain. Malgré ses protestations, je suis ferme, convaincu de l'importance d'un bon régime de vie, que j'observe moi-même. Alors, s'il dépasse l'heure prévue, il ne peut sortir le lendemain. Je maintiens cette fermeté, jusqu'à ce qu'il observe la consigne.

Voici quelques règles à observer pour appliquer efficacement des conséquences

Règle n° 1. Imposer une conséquence en relation avec ce que l'enfant a fait.

Dès que j'ouvre la porte de la maison, malgré mes avertissements et mes explications sur les dangers possibles, mon enfant sort en courant dans la rue.

Lui crier après en le culpabilisant et le priver de son jouet préféré ne serait pas une punition en lien avec ce qu'il fait. Si je veux qu'il comprenne la raison de ma demande et qu'il élève sa conscience, je lui fais vivre une conséquence en relation directe avec l'incident. Par exemple, avant d'ouvrir la porte, il doit me donner la main, qu'il tiendra jusqu'à ce que nous soyons dans l'auto.

Règle n° 2. Employer un ton ferme mais bienveillant.

L'enfant pourra alors constater que je suis maître de moi-même. Il faut parler le moins possible – éviter de trop expliquer, de moraliser (sermonner), de culpabiliser, de juger et de mépriser. Cette attitude a pour but de ne pas diluer le message, pour qu'il comprenne. Moins je parle, plus il prendra conscience lui-même de l'impact négatif de son action. J'agis, et c'est tout !

Règle n° 3. User de jugement.

Être ferme ne veut pas dire être rigide, sévère, exigeant; cela ne signifie pas que je ne dois pas être complice. Il ne faut jamais exagérer la faute dans le but de conscientiser l'enfant.

Règle n° 4. Être constant et conséquent.

Je lui dis : «Tu ne peux pas monter sur la table parce que c'est dangereux.» S'il monte malgré mon interdiction, je suis conséquent en le remettant par terre immédiatement. Je lui dis : «Tu as la permission de sortir dès que le ménage de ta chambre sera fait.» Même s'il reçoit un appel d'un de ses camarades qui lui donne rendez-vous immédiatement et qu'il me fait la demande express de pouvoir partir sans terminer ce qu'il a commencé, je suis ferme et je refuse. Je suis conséquent et je maintiens ma demande jusqu'au bout. Vous vous féliciterez de ce respect envers vous-même. À moyen et à long termes, vous en verrez les résultats.

Règle n° 5. Créer un lien de complicité avec l'enfant.

Puisque la qualité du lien que je vivrai avec mon enfant sera proportionnelle à la qualité de l'influence que j'aurai sur lui pour me faire écouter et transmettre mes valeurs, il est essentiel de créer ce lien de rapprochement. C'est aussi pour que mes interventions ne soient pas que négatives[6].

L'importance de l'action

Le procrastinateur : celui qui tourne en rond

Procrastiner (le fait de remettre au lendemain) provoque de nombreuses souffrances inutiles. Parce que je ne fais pas quelque chose maintenant, j'accumule indûment une charge émotionnelle qui grandit à l'intérieur de moi sans que je m'en rende compte. Le prix à payer est énorme. Je ne parviens pas à accomplir une grande majorité des choses que j'entreprends ou que j'aimerais réaliser. Je n'arrive plus à m'épanouir vraiment, limité et bloqué dans mes motivations. J'ai l'impression que je ne contrôle plus ma vie et que ce sont les éléments extérieurs qui le font. Je suis dépassé par les événements et je ressasse constamment ce que j'aurais dû faire, ce que les autres aussi ne manquent pas de me rappeler. Je vis dans un rêve et je fantasme ma réalité.

- La diète... Demain.
- Payer mes factures... Elles peuvent attendre.
- Prendre un abonnement saisonnier au gym... Durée : un mois.
- Arrêter de faire des reproches et des critiques à mon ado... J'attends qu'il change.
- Arrêter de fumer... Le premier de l'an.
- Arrêter de crier après mes enfants... Un jour, je serai doux.

---

6. Si actuellement vous ne vivez pas ce lien de rapprochement, revoyez les pistes suggérées dans le livre *8 moyens efficaces pour réussir mon rôle de parent*, publié aux Éditions Quebecor.

- Téléphoner pour prendre un rendez-vous... La semaine prochaine.
- Assister au match de hockey de mon fils... Quand j'aurai fini ce contrat.
- Prendre du temps en famille... Quand j'aurai fini le chalet.
- Me payer un cours que j'aimerais... Je n'en vaux pas la peine.
- Organiser une soirée romantique... Trop de fla-fla. Fleurs, chandelles, musique! Bof!
- Acheter de la nourriture saine pour moi et mes enfants... Trop compliqué, trop cher.
- Lui dire qu'il est fantastique... Trop gênant.
- Arrêter d'imiter mon petit en chignant comme lui... Pas capable, il m'énerve trop!
- M'asseoir avec lui pour les devoirs... Pas le temps.
- Visiter mes parents... Ils ne sont pas intéressants.
- Réaliser quelque chose d'important pour moi... Trop d'efforts.
- Écrire un livre, un jour... Je l'ai commencé...
- Aller chez le médecin... Je ne suis pas assez malade.
- Assister à une conférence qui pourrait changer ma vie... Pas besoin de ça.
- Souligner la réussite de ma fille à l'école... Il y a quelque chose de bon à la télé ce soir.
- Changer d'emploi: je n'arrive plus à le supporter... Trop de risques, trop d'inconnus.
- Remarquer une attention bienveillante de mon ex-conjoint... Il va en profiter.
- Faire le ménage de mon garage, de mon auto, de mon bureau... C'est dans mes plans...

Pour chacune de ces situations, on est quand même constant: remis à demain! Le problème dans tout cela, c'est qu'on devient essoufflé et déçu de ne pas s'être réalisé et de ne pas avoir accompli ce qu'on avait à faire. Notre seule réelle fonction tout le long de la journée en tant qu'humains, c'est d'être heureux. Le soir venu, on est désappointé si on ne l'a pas remplie.

Paul a l'impression de toujours courir à l'arrière d'un cheval, essayant d'attraper les brides pour reprendre la maîtrise de sa vie. S'il profitait du *moment présent* pour s'exécuter, c'est-à-dire monter sur l'animal quand il passe et agir au moment propice, soutenu par ce dernier, il serait bien assis sur sa monture, dirigeant sa destinée et vivant la joie de ses accomplissements sans négliger son potentiel. Il pourrait maîtriser la direction qu'il veut donner à son existence. Tout cela, sans tomber non plus dans le perfectionnisme, c'est-à-dire être en avant du cheval et toujours anticiper ce qu'il y a à faire, ce qui serait très essoufflant, comme pour celui qui court derrière.

Quand est-ce que je monte sur le cheval? Ici et «main tenant», j'ai la possibilité de vivre une vie abondante et remplie de joie avec les miens, de nous donner ce qu'il y a de meilleur et ce dont tout le monde rêve.

Depuis un moment, ça ne va pas. Je suis donc allé chez le médecin et je lui ai exposé mes symptômes. Il a établi mon diagnostic et m'a prescrit un remède. Ragaillardi, je suis allé chez le pharmacien, qui a pris connaissance de la prescription, mis le médicament dans un flacon et détaillé sur celui-ci, avec précision, la posologie à respecter: «Prendre 3 fois par jour aux 4 heures.» Je rentre à la maison et je vais soigneusement déposer le remède dans la pharmacie. Lorsque la douleur me prend, je me dirige vers la pharmacie, j'ouvre la porte et je regarde attentivement le médicament. Je lis la posologie sur le flacon, redépose le médicament et referme la porte de la pharmacie, me convainquant que la souffrance sera temporaire et qu'elle va passer. Croyez-vous que la raison de ma visite chez le médecin – mon manque de joie, mon état dépressif – va guérir tout seul? Pourtant, la douleur est de plus en plus présente et je me retrouve chaque fois devant la porte de ma pharmacie, béat, ne me décidant pas à agir. Je fais cela chaque jour. Pourtant, il va de soi que je prenne un médicament lorsqu'il s'agit d'une douleur physique. Cela me semble naturel d'apaiser mon mal parce que j'aime être bien et heureux!

Pourquoi est-ce que je referme la porte sur mon Bonheur, quand la solution est clairement écrite: être vigilant trois fois par jour pour apprécier et reconnaître les sourires de mes enfants, être ouvert au plaisir, à l'abondance, à l'éveil, au Bonheur, nous offrir du Bon Bon Bon, tout ce qui est bon pour Nous, être dans un état continuel d'appréciation, dire merci? Je n'aurais qu'à l'appliquer aux quatre heures pour enlever la douleur et m'épanouir avec les miens.

Mes pauvres intentions et mon faible désir de ne plus être triste et de sortir de ma solitude ne sont pas assez puissants pour m'amener à une volonté consciente d'agir, car je ne perçois pas les réels bienfaits que cela apporterait à moi et aux miens. Engageons-nous envers nous-mêmes et les nôtres à ne choisir que le Bon. Si vous n'êtes pas convaincu, parlez-en à votre pharmacien, c'est peut-être un ami...

Freud raconte que certains patients, même après de nombreuses heures de consultation pendant lesquelles il réussissait à diagnostiquer le problème, puis offrait le remède et les solutions, n'appliquaient pas les recommandations. Ils préféraient demeurer avec leur problème, donc victimes. En se posant honnêtement la question «pourquoi?», Freud a réalisé que l'*insécurité du changement*, même pour le Bon, en terrorise certains.

Trois déclencheurs qui me feront agir

- Je veux sortir de mes souffrances émotionnelles, donc relationnelles. J'en ai assez, cela est devenu insupportable pour moi. Je suis au fond du gouffre, j'ai atteint ma limite. Je n'ai plus le choix et je suis conscient qu'il faut que j'agisse si je veux m'en sortir. Cette souffrance me procure une motivation suffisante pour amorcer le changement véritable. *J'agis pour moi.*

- Une personne que je considère d'une plus grande valeur que moi peut contribuer à me motiver; ce sera en général mon enfant. Je suis conscient que je suis responsable de sa souffrance, qui est occasionnée par la mienne. Je ne veux pas qu'il souffre. *J'agis pour lui.*

- Je souffre physiquement et je sais que l'anxiété qui cause cet état pathologique provient de mon intérieur, que je laisse se dégrader, insouciant des conséquences.

Lorsque l'individu vit un manque, il accumule des tensions qui se manifestent à plus ou moins longue échéance dans son corps et qui s'expriment souvent par une pathologie spécifique. Les anciens connaissaient d'instinct la cause de certains de ces états pathologiques.

- On disait d'une personne peureuse : « C'est un pissou. » Or, ceux qui vivent beaucoup de peurs et qui sont angoissés sont surtout affectés au niveau des reins et de la vessie.

- De celui qui était souvent frustré, on disait : « Il se fait de la bile. » Les frustrations et les colères accumulées ont un impact négatif sur le foie.

- L'insatisfait qui soupire tout le temps parce qu'il est souvent déçu et qu'il manque d'inspiration a plus souvent que d'autres des problèmes au niveau des poumons.

- On disait de ceux qui manquaient de courage et de confiance en eux qu'ils n'avaient pas d'estomac (torse). Ces gens essaient de prouver leurs capacités, ce qui crée à la longue des brûlures d'estomac.

- Celui dont on disait qu'il « n'avait pas de cœur » n'était pas sensible aux autres. Son cœur « dur comme la pierre » bloquait toute la circulation de son sang dans ses artères. Même chose pour celui qui avait trop « le cœur sur la main » ; son cœur n'étant pas à la bonne place, il souffrait d'un excès de sensibilité qui lui amenait des difficultés liées au système cardiaque.

- La gorge et le cou, centre des émotions non exprimées (« Ça m'est resté en travers de la gorge ! »), sont les parties les plus affectées chez ceux qui ne reconnaissent pas leur valeur, leur importance et qui se perçoivent comme insignifiants. Ils n'osent pas s'exprimer, considérant comme négligeable ce qu'ils ressentent intérieurement. Ils ont peur de faire face à l'autorité.

- Celui qui accorde beaucoup trop d'importance à l'opinion des autres et qui a peur d'être rejeté est « mal dans sa peau ». Il risque plus que d'autres d'avoir des maladies cutanées à cause du rejet de lui-même.

- Les anciens disaient aussi de l'orgueilleux (une estime excessive de sa propre valeur) : « Il se prend pour un autre. » Cette déstabilisation de l'être mène à la confusion et à la sénilité.

Certains d'entre vous nous diront que ces maladies sont héréditaires. N'oublions pas que ce que l'on se transmet de génération en génération, c'est l'émotion suscitée par le type de relation vécue.

Mon arrière-grand-mère a éduqué ma grand-mère en lui faisant peur (rein et vessie). Ma grand-mère a transmis la même chose à ma mère et moi aussi, aujourd'hui, mes reins sont affectés.

Nous vous invitons à tenir compte de ces repères qui sont une sonnette d'alarme pour vous amener à agir.

Refaire le monde

Un jour, une maman était au téléphone et son enfant la dérangeait. Elle se dit à elle-même : « Je vais l'occuper, et ainsi je pourrai parler plus longtemps avec mon amie. » À côté d'elle, sur la table, il y avait une vieille carte du monde. Elle la prit, la découpa en petits morceaux, comme un puzzle, et dit à son enfant : « Tiens, fais ce casse-tête. » Heureuse de sa trouvaille, elle poursuivit sa conversation. Mais l'enfant revint très peu de temps après et lui dit : « J'ai terminé. » Sa maman, surprise, lui demanda : « Mais comment as-tu fait pour le terminer aussi rapidement ? » L'enfant lui répondit : « C'est simple, en arrière de la carte, il y avait un humain. J'ai refait l'humain, et ainsi j'ai refait le monde. »

J'aimerais que les autres ou que certains événements changent dans ma vie. La première chose que je devrai faire, c'est de changer moi-même, et à l'extérieur le monde se transformera.

Ma maison

Maintenant que nous avons établi notre pierre d'assise et renforcé les fondations de notre maison, dans la deuxième partie de ce livre nous allons ériger les murs. Leur solidité sera assurée par notre capacité à être conscients, confiants et convaincus de nos vraies valeurs. Chaque pierre sera déposée consciemment et minutieusement, pour que nous atteignions la vision finale que nous poursuivons.

Comme un architecte, nous allons faire le choix responsable de matériaux solides qui reposeront sur des principes édifiants pour l'Estime de Nous.

DEUXIÈME PARTIE

JE SUIS L'AUTEUR DE MA VIE

Nous voici maintenant à une étape cruciale qui nous mènera à une élévation majeure, à un pas de géant, à un renversement de la pensée et à un changement de direction. La plupart d'entre nous croient que le voyage de la vie se réalise à l'extérieur de soi, alors que le vrai voyage s'accomplit à l'intérieur. Cette méprise a pour effet que la valeur du Bon et du Beau, valeur inestimable en soi, n'est pas choisie en permanence comme elle le devrait. En maintenant une relation constante avec mon intérieur et celui de l'Autre, je vivrai la confiance, la joie et la paix.

Nous connaissons des conflits parce qu'à l'extérieur il y a en opposition les pôles du bien et du mal, de la vraie valeur et de l'absence de valeur. Vivre de plus en plus à l'intérieur est un processus qui nous enseignera à agir en toute conscience plutôt que de réagir aux événements extérieurs. Le chemin du retour vers l'intérieur s'effectue progressivement. L'essentiel est de toujours garder la même direction et de tendre vers notre but en faisant un pas à la fois.

Les participants à nos formations nous révèlent qu'avant de suivre nos cours la lumière de leur conscience par rapport à leurs réactions envers leurs enfants ne s'allumait qu'après avoir réagi. Dès les premières rencontres, lorsqu'ils prennent conscience de l'impact de certaines de leurs interventions, ils reconnaissent leurs réactions négatives pendant qu'ils réagissent et peuvent donc réparer. Par la suite, devenus conscients, ils sont capables d'anticiper leurs réactions. Ils sont outillés pour prendre du recul et appliquent les pistes pour ne plus réagir mais agir.

Progression des comportements :

- Je m'en aperçois *après* avoir réagi.
- Je m'en aperçois *pendant* que je réagis ; je peux récupérer et apprendre à cesser de réagir.

- J'y pense *avant*; je prends du recul et j'évite ainsi beaucoup de souffrances.

Dans la démarche pour effectuer des changements en Moi, les premiers pas ressemblent à la découverte et à l'apprentissage de l'alphabet. L'évolution se fait progressivement, selon l'intensité du désir et la valeur accordée à mon objectif, qui est le Bonheur pour Moi et mes proches. Les progrès sont assurés à tous ceux qui ont planté cette graine de désir en eux et qui la font germer. Pour certains, ces apprentissages peuvent se faire très rapidement.

Au début, c'est comme traverser un tunnel : on perçoit au loin le scintillement de la lumière et à 51 % du trajet, on la voit réellement. À cette étape, nos actions auront un impact exponentiel à l'application des moyens que nous suggérons. Comme pour une cassette que l'on rembobine, dépassé la moitié du ruban, la vitesse s'accélère.

CHAPITRE 5

Je prends en charge mon bien-être

Pour qu'une transformation véritable s'effectue dans notre rôle de parents, les pistes que nous proposons devraient être appliquées dans tous les domaines de notre vie. C'est pourquoi cette deuxième partie sera davantage axée sur le développement personnel de l'adulte. Nos exemples seront particulièrement orientés vers l'individu et sa responsabilité. Dans la définition la plus large du mot, être « responsable » comme parent, c'est prendre en charge mon bien-être et celui de mes enfants, qui sont dépendants de moi. Avant tout, je le fais pour Moi. Le bon égoïsme est de penser à Soi, le mauvais égoïsme est de *ne penser qu'*à soi. Notre bien-être véritable devrait être Moi et l'Autre, sinon je souffrirai et je ferai souffrir, d'où l'importance du Nous. Si les répercussions de mes actions sont bonnes pour Moi, forcément elles le seront pour Nous. Je n'attends pas, j'agis, puisque je suis l'Auteur de ma vie.

Responsable ou irresponsable?

Ce n'est pas ce que je perçois à l'extérieur qui me permet de voir la vie belle et bonne. Lorsque je souffre intérieurement, il pourrait faire un soleil radieux, je pourrais être entouré de mes meilleurs amis, mes enfants pourraient n'avoir que des comportements exemplaires, je pourrais avoir la maison et l'auto de mes rêves que je continuerais à être souffrant. C'est Moi qui transporte cette souffrance: que j'aille dans les plus beaux endroits au monde, elle ne me quittera pas sous prétexte que les visages et le décor ont changé.

Rechercher le Bonheur à l'extérieur apporte généralement des déceptions. Trop souvent, j'escompte que les autres ou les événements répondront à mes attentes pour que je sois heureux. Je crois que si telle personne parlait ou agissait différemment, ou que si telle circonstance ou tel événement changeait, mes problèmes disparaîtraient. Ainsi, la source de mon Bonheur est constamment perçue comme à l'extérieur de Moi.

Je ne vois pas que la vraie source du Bonheur est à l'intérieur de Moi, ce qui maintient mon état d'insécurité. J'ai l'impression d'être une marionnette, vu que je suis à la merci des autres et des événements.

Si je veux retrouver mon pouvoir et vivre ma vie comme je le souhaite, je devrai lâcher prise, prendre la décision d'arrêter d'accuser les autres et les circonstances extérieures, et prendre la responsabilité que *tout part de Moi*. Je pourrai ainsi cesser de souffrir et devenir l'Auteur d'une vie heureuse. C'est cette prise de conscience du pouvoir que je possède qui m'amènera à la liberté. Voici une excellente nouvelle qui a de quoi me réjouir: je n'ai pas à dépendre des autres et des événements, puisque je suis le seul décideur, et contrairement à ce que l'on croit en général, j'ai la maîtrise de ma vie intérieure.

Il est impératif que je sois conscient que tout part de Moi: comme grand Auteur de ma vie, j'ai du pouvoir et j'ai le choix. Je suis responsable de ma vie. Je sème du Bon, et chaque fois que je ressens une souffrance, je fais tout ce qui est en mon pouvoir pour sortir de cette souffrance en me transformant intérieurement.

Lâcher prise

Lorsque je ne prends pas mes responsabilités, je me nourris de justifications, de prétextes et de bonnes raisons: à cause de mon enfance, à cause du manque d'écoute de l'Autre, à cause de mon conjoint ou de mon ex-conjoint, qui se comporte de telle façon, à cause de mes parents et grands-parents, à cause de mes responsabilités accablantes, du manque de temps, à cause de celui qui manque de bon sens, de ceux qui devraient corriger leurs erreurs (moi qui ne vois pas les miennes!), à cause de «Ce n'est pas ma faute», de «Je n'ai pas le choix», de «Il n'y a rien de parfait», de «Après tout, c'est humain»... Autant de raisons qui nous évitent de prendre des décisions. Ainsi, nous persistons dans l'erreur parce que cela nous arrange bien, même si nous continuons à vivre des conflits, nous plaignant de notre mauvaise fortune et de notre triste sort. Inconscients de ses effets, nous ne lâchons pas prise sur notre état de victimisation et nous nous sabotons en bloquant notre accès au Bonheur.

Pour illustrer par un exemple cet entêtement à ne pas lâcher prise, rappelons l'histoire de ce singe qui désespérément, la main agrippée à une pomme à l'intérieur d'un bocal, essayait de la sortir par le goulot trop étroit. Il ne voulait absolument pas lâcher prise, laisser tomber l'objet de son désir. Il se blessait la main et détériorait la pomme en voulant à tout prix ne rien perdre.

Contrairement au comportement du singe, si nous prenions un recul et faisions appel à notre raison, nous pourrions *reconnaître notre erreur* et constater que, sans effort et sans blessure pour nous-mêmes et pour l'Autre (la pomme), nous pourrions cesser de faire ce que nous faisons – qui n'est pas bon pour nous ni pour l'Autre – et trouver un autre moyen. Dans le cas précédent, lâcher prise consisterait à retirer doucement la main et à renverser tout simplement le bocal afin d'avoir une belle pomme non meurtrie. L'histoire de ce singe nous montre que tant et aussi longtemps que nous maintenons cette erreur à ne pas lâcher prise, il est difficile de sortir de notre victimisation. Nous allons donc arrêter de faire les singes!

Ce n'est pas l'amour qui nous fait défaut, c'est la peur et l'orgueil qui nous font souvent dévier de notre route. Si nous observons les relations que nous entretenons avec les enfants, nous constatons que dans certains cas, parce que nous oublions l'amour, nous ne pouvons pas parler de relations humaines mais plutôt de relations inhumaines. La difficulté avec nos relations en général est que nous persistons dans des agissements souvent mécaniques qui proviennent de l'inconscient et que nous laissons cette machine sans cœur mener notre vie ; nous réagissons sans nous poser de questions.

Disons-nous les vraies « affaires » : lorsque l'Autre ne se comporte pas comme je le voudrais, je réagis parce que je veux qu'il change. J'ai peur qu'il ne satisfasse pas mes attentes. J'ai peur de perdre le contrôle ou de ressentir mes propres manques, de ne pas être à la hauteur. Je me sens impuissant et par faiblesse j'attaque, pour qu'il cède et corresponde à mes idéaux. C'est lui ou moi (*kill or to be killed*). Parce que ma blessure est profonde, je tente de déverser ma souffrance sur lui, croyant m'en libérer. Rien ne se règle : nous souffrons tous les deux. « Aujourd'hui je t'aime, mais si tu ne te comportes pas selon mes désirs, je t'aimerai moins. » À ces moments, je devrais me demander quel genre de pain et de beurre je dépose sur la table pour Moi et les miens. Ce que nous vous proposons, c'est de lâcher prise pour sortir de ce cycle infernal, ces automatismes négatifs empreints d'émotions, afin de construire un trésor inestimable qui vous fera dire : « Comment ai-je pu vivre sans réaliser qu'il était si facile de développer une relation aussi nourrissante et aimante envers moi et les miens ! »

> *Il est quand même étonnant que les gens croient*
> *qu'en continuant à faire toujours la même chose,*
> *un jour, cela changera.*
> Albert Einstein

Lâcher le compte-heures

Dans la vie, nous réagissons trop souvent comme si nous avions un compte-heures dans la tête. Comme si la vie était implacable avec ses demandes et qu'elle nous amenait à vivre un lot de responsabilités qui ne nous laissent pas assez de temps pour les assumer. Nous n'arrivons pas suffisamment à nous détendre, à nous accorder du temps, à entrer véritablement en relation avec nous-mêmes et les nôtres. Comme si nous prenions un taxi et que, comme passagers, nous avions toujours les yeux rivés sur le compte-heures, angoissés et obsédés par le temps qui s'écoule, ayant peur que le chauffeur allonge le trajet. Nous sommes sur le qui-vive, avec le sentiment d'être assis sur le bout d'une branche et ne sachant pas à quel moment celle-ci va céder sous le poids de nos problèmes. Tout comme nous sommes soucieux, assis sur le bout de notre siège, ne perdant pas de vue le compte-heures ! Nous n'arrivons même pas à communiquer calmement, à savourer le plaisir de la détente. Nous ne parlons que de la météo ou du dernier match vu à la télé, sans nous écouter. Qu'est-ce qui nous obnubile tant pour que nous soyons aussi inquiets et affairés au point de nous oublier, comme si ce compte-heures nous pourchassait de minute en minute ? Cette métaphore illustre bien que, partout où nous allons, nous transportons nos problèmes et que notre joie n'arrive plus à monter en nous. Nous voulons garder le contrôle, nous ne faisons pas confiance à la vie qui nous soutient pourtant constamment, quand nous y regardons bien et que nous nous arrêtons un instant, en lâchant prise, pour réaliser que tout s'est bien passé.

Lâcher prise, c'est dédramatiser, relâcher la tension et apprécier le trajet ; c'est ne plus vivre à l'extérieur de soi et entrer à l'intérieur pour prendre rendez-vous avec la paix qui nous habite. Là, il n'y a pas de retard possible, elle est toujours présente, n'attendant que Moi. Lâcher prise, c'est prendre le temps de regarder, de voir, de nous écouter et d'écouter nos enfants, nos proches, nos amis, un inconnu. C'est arrêter le compte-heures, prendre cet instant que la vie nous offre à chaque moment, avec gratitude et reconnaissance envers la bonté et la beauté qui nous entourent. Lâcher prise, c'est aussi cesser de réagir et de penser que nous sommes responsables de tout, croulant trop souvent sous le poids de fausses responsabilités. C'est vivre dans le moment présent, ici et « main tenant », tenant ma main et celle de mes enfants pour que nous prenions le temps de nous regarder, de partager, d'échanger et de rire. Pourquoi ne pas décrocher du compte-heures et nous transformer en un conteur qui peut, le soir venu, réunir ses enfants et relater les bons moments de sa journée vécus dans la joie ?

Le parent guide et complice n'est pas stressé par le temps. Il revoit son horaire, abandonne ce qu'il évalue comme non essentiel et fait le choix de mettre la priorité sur la relation avec lui-même et sa famille. Il n'accumule que des gains en découvrant la valeur d'une promenade faite ensemble le matin, d'un repas en tête à tête, d'une conversation où on échange nos projets communs.

CHAPITRE 6

VIVRE CONSCIEMMENT

Quatrième accélérateur de transformation : être conscient

La conscience, c'est avoir une vision intérieure de ce qui est. Elle est la lumière que je dirige sur toute chose pour qu'elle soit vue et reconnue. Elle me permet de mettre un éclairage sur ce qui me conduit soit au Bonheur, soit au malheur. Elle me guide à faire des choix. Être conscient, c'est être présent ici et « main tenant », attentif au pouvoir de la Présence qui m'habite. C'est être dans l'instant, dans l'acceptation de ce qui est. Tenir cette lumière allumée accélère ma transformation.

Nous ne demanderions pas à un aveugle de nous guider à travers le désert, donc nous allons faire le choix conscient d'évoluer en collaboration directe et constante avec notre conscience, qui tient la lumière et nous permet de voir tout ce qui ne se perçoit pas avec les yeux du corps. Je devrais l'utiliser comme un Coach de vie personnel auquel me référer constamment. Il est l'ami intérieur qui ne pense qu'à mon bien, la partie sage et inspirante en moi, un guide et un complice qui a la connaissance de tout ce qui est bon, la pleine volonté de m'orienter vers tout ce qui est grand et illimité, et le pouvoir d'accomplir et de réaliser tout ce à quoi j'aspire.

À partir de ce moment, nous ne marcherons plus seuls. Cet ami nous enseignera l'abc du chemin vers le Bonheur, tout ce qui est aimant, à ne faire que des Actions Aidantes Aimantes, à ne choisir que ce qui est bon bon bon et à avancer sur le chemin des 8 C. Ainsi guidés, nos perceptions fausses, causes de nos souffrances et de nos conflits, se transformeront graduellement en perceptions justes qui nous permettront d'atteindre la vision spirituelle pour toucher un Bonheur constant.

Lorsque la lumière de notre conscience éclaire notre esprit, instinctivement nous savons comment nous élever et élever nos enfants. Nous reconnaissons l'évidence de la vérité lorsqu'elle se présente à nous. Nous sommes tous aimants. Le seul exercice que nous accomplirons sera d'enlever tout ce qui obstrue la lumière de notre conscience et qui est non aimant: ce n'est pas parce qu'il y a des nuages au-dessus de notre tête que le soleil est absent.

Fini l'attente, les miettes, l'impermanence du Bonheur, nous sommes fatigués, exténués de tomber toujours dans les mêmes pièges et les mêmes souffrances. Pourquoi suivre un chemin difficile, tortueux et long alors qu'il est possible de suivre le guide, le complice aimant vers ce que nous connaissons déjà au plus profond de notre être? Pour trouver le Bonheur, il est crucial de voir d'autres possibilités que ce que nous voyons et vivons actuellement. Le niveau de conscience le plus élevé de l'humain est de réaliser qu'il est possible de *voir autrement*.

Il se peut que vous vous disiez d'accord avec les concepts proposés dans ce livre et que vous ajoutiez: «Il ne me reste plus qu'à les mettre en pratique.» Nous oublions que, à partir du moment où notre conscience s'éveille, la transformation dans notre esprit se fait dans l'immédiat et que les changements s'opèrent dans le temps, au fur et à mesure que nos yeux s'ouvrent et s'acclimatent à cette nouvelle réalité. Vous serez surpris de réaliser le peu d'efforts qu'une vraie transformation demande. Le repère pour reconnaître ce changement d'esprit est d'observer la transformation dans les comportements de nos proches et dans notre vie en général: ils sont le miroir de nos progrès.

Ne plus vivre inconsciemment : faire le choix de la Présence

Dans nos relations, nous recherchons une présence aimante, ce qui nous donne l'assurance que nous sommes aimés. Si je n'ai pas de véritable relation avec moi, même si l'Autre me confirme qu'il m'aime, je ne le sens pas.

La plupart d'entre nous entretenons peu ou pas de véritable relation avec nous-mêmes, oubliant de donner la main à la Présence en nous. Cette Présence est déjà là et n'a pas besoin de carte d'invitation pour se manifester. Elle a sa propre place en chacun de Nous.

Il s'agit simplement de reconnaître cette Présence et d'entretenir un dialogue responsable avec elle. Celui « qui est » est présent et « quiet » (calme). Il est en paix, conscient de cette force qui l'habite. Il n'a pas le souci de rechercher constamment les bonnes relations ou personnes qui pourraient lui fournir la garantie qu'il est aimé.

Autoennemi (inconscient) ou autoami (conscient)?

Au contraire, si je suis absent à la Présence et que je n'ai aucune relation avec elle, je vis dans la noirceur et je ressens un vide ; je me sens seul, faible et toujours « in-quiet ». Étant donné que nous avons parfois des perceptions fausses de la réalité, occasionnées par les interprétations de notre mental ou de notre ego, nous devenons inconscients, recréant des modèles du passé qui nous éloignent de l'amour, qui est pourtant notre élan naturel. Marchons sur le chemin de la conscience, accompagnés de notre guide, ce Moi profond qui distingue le faux du vrai. En sa présence, nous évitons de multiples conflits.

Être conscient : Moi

Il est important d'être conscient de la qualité de la relation que j'entretiens avec moi-même parce que c'est à travers elle qu'il y aura une prise en charge ou non de mon bien-être : le Bonheur. S'il n'y a pas de relation, de dialogue intérieur responsable avec moi, à mon insu la mauvaise herbe prendra toute la place et provoquera mon mal-être : le malheur.

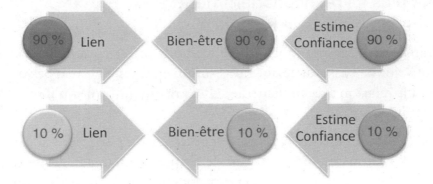

La qualité de la relation que j'entretiens avec moi sera aussi proportionnelle à la qualité de la relation que j'ai avec l'Autre, donc déterminante de l'Estime de Nous.

> *Être ou ne pas être, telle est la question.*
> William Shakespeare

Plusieurs personnes ne vivent plus à l'intérieur d'elles-mêmes, mais à l'extérieur. Toc, toc, toc ! Y a-t-il quelqu'un à l'intérieur ?

Relation aimante

- Je suis conscient de mon existence.
- Je suis conscient que je peux établir une relation avec moi.
- Je suis conscient que je peux compter sur moi.
- Je suis conscient que j'ai de la valeur.
- Je suis conscient de mes forces.
- Je suis conscient que je laisse émaner du Bon et du Beau.

Relation non aimante

- Je ne vois pas que j'ai une vie bien à moi.
- Je ne vois même pas que je peux établir une relation avec moi.
- Je ne vois pas que j'ai du pouvoir sur ma vie.
- Je ne vois pas que je ne me respecte pas.
- Je vois surtout mes faiblesses.
- Je ne vois pas qu'il y a du Bon et du Beau en moi.

- Je suis conscient de ce que je suis et je m'aime, même avec mes limitations.
- Je suis conscient que je ne suis pas seul à l'intérieur de moi.

- Je ne vois pas que je ne m'aime pas, que je me juge et que je me compare.
- Je ne vois pas mon isolement et je me sens seul.

Si je constate que je suis surtout non aimant et que cela me fait souffrir, il me sera utile de l'observer d'une façon détachée, sans me juger, et de réaliser que j'ai abandonné mon pouvoir à l'ego. Par la suite, j'accepterai ce fait, je reconnaîtrai mon erreur et, avec confiance, j'emprunterai un chemin différent.

Test des 8 C

Voici un test pour vous aider à déterminer d'une façon claire et ciblée la qualité de la relation que vous entretenez avec vous-même et avec vos proches.

- Évaluez les affirmations suivantes par rapport à votre vie en général, et non en relation avec des situations spécifiques.
- Entourez le chiffre correspondant à votre évaluation, 0 correspondant à « peu » et 10 à « beaucoup ».
- Si vous hésitez entre deux choix, prenez le chiffre le moins élevé.
- Utilisez un crayon à mine. Vous pourrez ainsi refaire le test éventuellement et constater votre progression.
- Ne prenez pas trop de temps pour répondre aux questions: la première impression est souvent la bonne.

Moi

1. Vous êtes constant à vous sécuriser en étant aimant et doux envers vous-même.
Peu ... 0 – 1 – 2 – 3 – 4 – 5 – 6 – 7 – 8 – 9 –10 ... Beaucoup

2. Vous êtes cohérent à vous gratifier en voyant le Bon en vous.
Peu ... 0 – 1 – 2 – 3 – 4 – 5 – 6 – 7 – 8 – 9 –10 ... Beaucoup

3. Les conséquences de vos actions vous apportent en général joie et satisfaction.
Peu ... 0 – 1 – 2 – 3 – 4 – 5 – 6 – 7 – 8 – 9 –10 ... Beaucoup

4. Vous êtes conscient et présent à vous dans le ici et « main tenant ».
Peu ... 0 – 1 – 2 – 3 – 4 – 5 – 6 – 7 – 8 – 9 –10 ... Beaucoup

5. Vous avez confiance en vous, vous reconnaissez la force qui vous habite.
Peu ... 0 – 1 – 2 – 3 – 4 – 5 – 6 – 7 – 8 – 9 –10 ... Beaucoup

6. Vous avez la conviction de votre valeur. Vous vous accordez du temps et de l'importance.
Peu ... 0 – 1 – 2 – 3 – 4 – 5 – 6 – 7 – 8 – 9 –10 ... Beaucoup

7. Vous consentez à vous accepter en ne vous comparant pas. Vous aimez ce que vous êtes.
Peu ... 0 – 1 – 2 – 3 – 4 – 5 – 6 – 7 – 8 – 9 –10 ... Beaucoup

8. Vous êtes un complice aimant envers vous-même. Vous êtes simple, vous n'êtes pas compliqué.
Peu ... 0 – 1 – 2 – 3 – 4 – 5 – 6 – 7 – 8 – 9 –10 ... Beaucoup

Total des points : _____/80

Reportez le résultat précédent en traçant une ligne dans le réservoir correspondant au total obtenu. Coloriez l'espace sous la ligne pour mieux voir la partie aimante, comme dans cet exemple : 49/80

Moi

Mes proches

- Inscrivez le nom de votre conjoint et de chacun de vos enfants.
- Respectez les autres consignes de l'étape précédente.

  Noms:

  a) _____   b) _____

  c) _____   d) _____

- Pour chacune des affirmations, écrivez votre évaluation vis-à-vis de la lettre correspondante.

1. Vous êtes constant à être aimant et doux envers lui.

   Peu ... 0 – 1 – 2 – 3 – 4 – 5 – 6 – 7 – 8 – 9 –10 ... Beaucoup

   a) _____   b) _____   c) _____   d) _____

2. Vous êtes cohérent à le gratifier en voyant le Bon en lui.

   Peu ... 0 – 1 – 2 – 3 – 4 – 5 – 6 – 7 – 8 – 9 –10 ... Beaucoup

   a) _____   b) _____   c) _____   d) _____

3. Les conséquences de ses actions vous apportent en général joie et satisfaction.

   Peu ... 0 – 1 – 2 – 3 – 4 – 5 – 6 – 7 – 8 – 9 –10 ... Beaucoup

   a) _____   b) _____   c) _____   d) _____

4. Vous êtes conscient et présent à lui dans le ici et « main tenant ».

   Peu ... 0 – 1 – 2 – 3 – 4 – 5 – 6 – 7 – 8 – 9 –10 ... Beaucoup

   a) _____   b) _____   c) _____   d) _____

5. Vous avez confiance en lui, vous reconnaissez ses forces.

   Peu ... 0 – 1 – 2 – 3 – 4 – 5 – 6 – 7 – 8 – 9 –10 ... Beaucoup

   a) _____   b) _____   c) _____   d) _____

6. Vous êtes convaincu de sa valeur. Vous lui accordez du temps et de l'importance.

   Peu ... 0 – 1 – 2 – 3 – 4 – 5 – 6 – 7 – 8 – 9 –10 ... Beaucoup

   a) _____   b) _____   c) _____   d) _____

7. Vous consentez à l'accepter en ne le comparant pas. Vous aimez ce qu'il est.

Peu ... 0 – 1 – 2 – 3 – 4 – 5 – 6 – 7 – 8 – 9 –10 ... Beaucoup

a) ____   b) ____   c) ____   d) ____

8. Vous êtes un complice aimant envers lui. Vous êtes humble, vous n'êtes pas compliqué.

Peu ... 0 – 1 – 2 – 3 – 4 – 5 – 6 – 7 – 8 – 9 –10 ... Beaucoup

a) ____   b) ____   c) ____   d) ____

Total des points pour chacun

a) ____/80   b) ____/80   c) ____/80   d) ____/80

Il vous est maintenant possible d'évaluer l'amour réel que vous avez envers vous-même, votre conjoint et vos enfants. Prenez votre total personnel (page 114), additionnez-le au total le moins élevé parmi vos proches, puis divisez le résultat par deux.

Votre total : _____

+

Le total le moins élevé : _____

Total : _____ /2 = _____/80   Moi, réellement

Celui parmi vos proches pour lequel vous avez marqué le résultat le moins élevé sera le reflet le plus juste de l'amour réel que vous avez envers vous-même. C'est lui qui vous présentera le miroir le plus apte à vous transformer. Choisissez consciemment de l'aimer, regardez sa manière d'être et ses façons de faire avec amour et acceptation. Dédramatisez : cela vous permettra de décrocher à l'intérieur de vous une grande partie de ce qui vous fait souffrir.

Maintenant, consultez les pistes suggérées à la page 189 et pratiquez les sept étapes du mode d'emploi relationnel quotidien que vous retrouvez au chapitre 2.

Être conscient des effets de mes pensées et de mes jugements

L'importance d'être vigilant

Conscients des effets destructeurs sur l'Estime de Nous, il est important pour vivre heureux et épanouis que nous soyons vigilants pour surveiller nos jugements ou nos pensées non aimantes, car leur pouvoir est important. Les surveiller ne veut pas dire s'y accrocher, bien au contraire. Lorsqu'ils apparaissent, nous devrions les reconnaître, les identifier comme non aimants, et les refuser fermement le plus rapidement possible. Ces pensées de jugements sont comme des mauvaises graines: elles s'engrangent en nous, s'empilant à notre insu pour former des tas d'émotions et provoquant rancœurs, ressentiments et désirs de vengeance qui polluent notre existence. Les jugements nous placent toujours à un niveau supérieur ou inférieur à l'Autre. Soyons conscients de leurs effets dévastateurs; ils ont comme conséquence de nous séparer et d'empêcher toute communication vraie et respectueuse avec soi-même et avec l'Autre. Lorsque je suis dans le jugement, mon cœur n'est plus là, je n'arrive plus à communiquer. Je suis dans l'émotivité, je me coupe de ce qui est vrai pour moi. Nous comptons des points chaque fois qu'au lieu d'attaquer par nos jugements nous montons notre niveau de conscience jusqu'à notre raison.

Les pensées de jugements sont comme des mauvaises graines que nous semons entre nous.

C'est la pensée qui donne la direction et c'est sur elle que nous nous attarderons pour lui donner un sens et l'orienter à ne choisir que des pensées aimantes.

Ce qui est signifiant, ce sont avant tout mes pensées aimantes, qui sont un préalable à ma vision. Mes pensées empreintes de valeurs signifiantes vont m'amener à vivre à l'extérieur une vie signifiante. À l'inverse, nourrir des pensées aux valeurs insignifiantes va m'amener à vivre à l'extérieur une vie insignifiante. Tout part de l'intérieur – de mes croyances, de mes idées, de mes pensées.

Les effets de ma pensée ne sont pas neutres

La cause et les effets de nos pensées ne sont jamais séparés. Ils sont indissociés et indissociables; nos pensées et leurs résultats sont simultanés. Nos pensées naissent dans notre esprit et se projettent vers l'extérieur.

Les pensées ont des conséquences sur le penseur, et le penseur, c'est Moi. Contrairement à ce que je crois, mes pensées, même les plus banales, ne sont *jamais neutres* et sans importance. Elles produisent toujours un effet et des conséquences, qu'elles soient visibles ou invisibles, dans l'immédiat ou dans le futur. De plus, je ne suis jamais seul à éprouver les effets de mes pensées. Elles engendrent la projection de ce que je vois à l'extérieur. Par ma pensée, je crée des images. Lorsque je rencontre l'Autre, nous sommes trois: Moi, l'Autre et la pensée entre nous. Celle-ci détermine ce qui se vit. Si j'ai des pensées aimantes, intègres, de bienveillance, d'admiration, d'acceptation envers Moi et l'Autre, mes attitudes seront aimantes. À l'inverse, si j'ai des pensées non aimantes de reproches, de jugements et de récriminations, mes attitudes seront non aimantes.

Quand nous rencontrons l'Autre, nous sommes trois: Moi, l'Autre et la pensée entre nous.

Causes	Effets	Résultats
Je pense que mon enfant est mal intentionné.	Je l'accuse et je suis agressif.	Nous souffrons.
Je pense que mes enfants ont de la valeur.	Je suis respectueux envers eux.	Bon.
Je pense que ma mère est méchante.	Je suis agressive envers elle.	Nous souffrons.
Je pense que ma conjointe est intelligente.	Je la considère.	Bon.

Je pense que mon ado est paresseux.	Je le dénigre.	Nous souffrons.
Je pense que mes enfants sont égoïstes.	Je me plains.	Nous souffrons.
Je pense que mon patron est équitable.	J'ai de la gratitude.	Bon.

Les effets sont aussi puissants en positif qu'en négatif. Il ne faut donc pas ignorer la puissance de notre pensée. Selon nos croyances, nous alternons du positif au négatif, créant un comportement plus ou moins conséquent. Si, par manque de vigilance et d'intégrité, je suis aimant à 40 %, les conséquences seront positives à 40 %, donc négatives à 60 %, d'où l'importance d'être vigilants à choisir nos pensées pour nous aider à sortir des batailles que nous nous livrons quotidiennement en réagissant. Nous prenons constamment des décisions et faisons des choix à chaque instant. Pour vivre des conséquences heureuses en tout temps, je dois surveiller ma pensée afin qu'elle génère les conséquences désirées.

Monter mon niveau de conscience jusqu'à ma raison

La raison pour nous n'est pas un procédé qui permet d'analyser et d'interpréter mentalement des concepts, elle est un état d'être conscient du Bon, une sagesse intérieure qui connaît la vérité et les conséquences d'une attitude bienveillante par rapport à une attitude malveillante. C'est cet état d'être qui permet d'être aimant. Lâcher prise, c'est ce qui me permettra de mettre l'accent sur ce qui est aimant. Je ne reviendrai pas en arrière et j'avancerai avec ces nouvelles pensées. S'il y a encore le moindre doute à l'égard de mes pensées aimantes, de mes paroles ou de mes actions, c'est que la raison n'y est pas !

En général, j'éprouve de la difficulté à lâcher prise parce que je transporte avec moi dans le présent les images négatives, les jugements et les expériences du passé. C'est pour cela que ces comportements dérangeants se vivent encore et encore, puisque je les perpétue.

L'ego est un système de pensée négatif toujours présent et automatique. On pourrait le comparer à une voiture automatique qui avance toute seule, à moins que je ne mette le pied sur le frein ; si je le laisse faire, ce système de pensée dirigera ma vie. Pour orienter mes pensées, il me faut donc une conscience active et une vigilance constante qui refusent celles qui me conduisent à la destruction, à l'anxiété et à la souffrance. Je devrai faire le choix de canaliser mon énergie vers des pensées aimantes.

> J'aime mon fils Jérémie et je ne veux que le meilleur pour lui. Cependant, il est en général assez agité et chaque fois que je pense à lui, je le juge comme étant mal intentionné. Ce matin, je suis couchée et des images négatives défilent dans ma tête. Hier, il a brisé une assiette en se levant de table; je n'arrive pas à manger calmement en sa présence. L'enseignante se plaint de son comportement, mon mari est agacé par sa nervosité et je *pense* à ce qui se passera aujourd'hui. Déjà, avant même de me lever, je suis fâchée. Dans quelques minutes, je vais le rencontrer et toute mon énergie – mes pensées, mes paroles, mes gestes et mes actions – sera teintée par ces jugements. Sans m'en rendre compte, je maintiendrai et même j'accentuerai sa façon d'agir. Il me prouvera par ses actions que j'avais raison de croire ce que je pensais de lui. Ainsi, nous vivons le présent, tous les deux prisonniers de son agitation.

Le présent étant garant du futur, le cercle se referme et aucune transformation n'est possible. Voyez-vous la folie que nous « maintenons », croyant que nos problèmes viennent de l'Autre et que notre pensée n'a pas d'effets?

Il est lent. Lorsque je le rencontre, je rencontre sa lenteur. J'oublie son être intérieur et je réagis. Il est colérique. Lorsque je le rencontre, je rencontre sa colère... Et ainsi de suite, selon mon jugement. Comment voulez-vous que cela change?

Le mauvais passé amène des pensées non aimantes. J'apporte le mauvais passé dans le présent, cela entraîne un mauvais futur. Lâcher prise et faire le choix d'un bon présent entraîne un bon futur.

Si je rencontre l'Autre avec le passé, je ne le rencontre pas vraiment.

Ce que je devrais faire, c'est ignorer le passé. Puisque celui-ci ne m'a pas bien servi pour régler la situation, pourquoi le ferait-il maintenant? Ce passé n'a d'autre utilité que de perpétuer le conflit. Ce que j'entendrai ne sera qu'un écho intérieur de ce que je connais déjà : la déception, l'impuissance, le découragement, un fardeau accablant que je transporte partout dans mon travail et mes relations. Le seul passé que nous devrions conserver, ce sont les pensées aimantes et les bons souvenirs. Refusons toutes les attaques occasionnées par nos jugements, qui ne sont que de fausses interprétations issues d'un passé révolu et que nous amenons comme bagage, ces valises trop lourdes à apporter avec nous dans le futur. Faisons le choix conscient de voyager léger !

Une recherche menée par un groupe de psychiatres arrivait au résultat que la dépression provient du fait de ruminer le passé. Ils donnaient le nom de «ruminants» à ces cas pathologiques. Sortons de nos pâturages et vivons le présent. Ouvrons notre esprit au neuf parce que c'est uniquement de cette façon que nous pourrons régler ces difficultés. Parce que j'aurai changé, là où j'anticipais un conflit je trouverai le calme et la sérénité.

Rien ne sert de revenir sur le passé, puisque les mêmes erreurs sont répétées dans le présent et c'est avec elles, dans le présent, que nous pouvons sortir de ces souffrances. Comme le dit Eckhart Tolle dans son livre *Le pouvoir du moment présent* :

> Faites face au passé à partir du présent. Ne vous méprenez pas : il est essentiel d'être attentif, mais pas au passé en tant que tel. Accordez de l'attention au présent : à votre comportement, à vos réactions, à vos humeurs, à vos pensées, à vos émotions, à vos peurs et à vos désirs à mesure qu'ils se présentent dans l'instant présent. C'est cela votre passé.

Agir sur la cause, et non sur les effets

Nous avons tendance à nous arrêter seulement à ce qui est visible, nous communiquons trop souvent avec l'extérieur, oubliant l'intérieur. Il ne sert à rien d'essayer de changer les effets extérieurs, cela ne fonctionnera pas. Prenons à nouveau l'exemple suivant : «Je pense que mon enfant est mal intentionné.» Essayer de changer mon attitude agressive en une attitude aimante tout en continuant à croire qu'il est méchant ne sert à rien, puisque je n'ai pas changé ma pensée, la cause de mon attitude agressive. Pour obtenir un réel changement, consciemment, je dois changer mon état d'esprit en cessant de percevoir mon enfant ainsi. Tout ce que j'ai à faire, c'est d'arrêter de le voir mal intentionné (il ne cherche qu'à combler son besoin) et de l'aimer, c'est tout. Regardez-le se transformer et vous réaliserez que ce qui a réellement changé, ce n'est pas lui, mais *vous* et votre façon de le percevoir.

Toutes les erreurs doivent être corrigées au niveau où elles se produisent.

Arrêter de dissocier cause et effet

Dissocier, c'est séparer cause et effet, c'est croire qu'il n'y a pas de lien entre eux. C'est oublier que tout part de l'intérieur. Cette dissociation nous empêche d'utiliser notre source aimante pour régler nos difficultés.

Si je me dissocie de mes pensées aimantes, elles prendront leur source dans la peur et les jugements, et forcément elles deviendront négatives. Me sentant coupable, je me sépare de ma raison et je fabrique des idéaux que je fixe bien haut. Croyant les avoir atteints, je m'illusionne sur ce que je suis actuellement, alors que mes pensées et mes agissements ne correspondent pas du tout à ces idéaux. La réalité me rattrape et je crois que ce sont les autres qui sont la source de mes souffrances.

Me croyant respectueux à 100 %, je mets sur un piédestal la notion de respect, alors qu'il m'arrive de juger et de dénigrer mes enfants. Lorsqu'ils manifestent des comportements irrespectueux, je pense que c'est leur faute si nous n'atteignons pas le respect. Rien ne change parce que j'attends que le changement provienne d'eux.

Actuellement, je crois et j'affirme que mes enfants sont tout pour moi et que je les aime beaucoup. Je pense qu'une valeur très précieuse dans ma vie est d'avoir une famille où l'harmonie règne. Cependant, chaque jour je les juge, ce qui crée de la disharmonie et abaisse l'Estime de Nous. Je me leurre en pensant que ce n'est pas grave, et ce manque de conscience a pour effet que je crois que je peux me permettre n'importe quoi.

Idéal	Dissociation	Résultat
Je crois que mes enfants sont un trésor pour moi.	Je leur crie après.	Je suis non aimant.
Je crois que je veux une famille unie et heureuse.	Je crée de la tension en accusant les miens et en me plaignant.	Je suis non aimant.

Dans ces derniers exemples, la pensée (croyance) et la conduite (action), cause et effet, sont en désaccord. C'est-à-dire que le parent, malgré sa pensée, n'agit pas en fonction de ce à quoi il aspire. Il nourrit en lui un paradoxe qui produit une grande frustration, des colères et même la rage au cœur. Il se met à menacer, à parler sur un ton méprisant, ce qui le fait éclater et crier. Nous sommes trop tolérants à l'égard des vagabondages de nos pensées, ne réalisant pas les dissociations que cela provoque et leurs effets.

Je ne peux laisser au fond de moi un amour débordant et démontrer mon incapacité à prendre soin de ce bien précieux que sont mes enfants en exprimant dans ma façon de faire le contraire de mon élan naturel. Ce libre arbitre ne me donne pas l'autorisation d'agir n'importe comment. Je laisse passer mes élans d'agressivité et je réalise mon erreur après, alors que si l'amour était bien présent, j'éviterais ces dérapages destructeurs. Je m'accorde trop de laissez-passer, des réactions gratuites qui s'accumulent et appauvrissent mon trésor. L'erreur, c'est de croire que de dissocier mon idéal de mes pensées et de mes actions n'a pas de conséquences.

Cette malhonnêteté envers soi-même est la source de tous les problèmes relationnels. Elle nous maintient dans l'illusion et nous empêche d'entrer en relation aimante avec soi et avec les autres. Pour opérer un réel changement, je devrai me demander: « Quel est réellement mon trésor et à quel point est-il précieux pour moi? » Là où est notre cœur se trouve notre trésor. Quand on considère cette question avec sincérité, une volonté monte en nous. Nous cessons de réagir et nous agissons. Les moyens sont plus faciles à comprendre une fois que la valeur de notre but est fermement établie. Beaucoup de parents qui ont assisté à nos formations ont radicalement changé à la suite de cette prise de conscience. Quand l'évidence du trésor devient claire (l'amour), le comportement change et les transformations se vivent.

Attaquer en premier, la source des conflits

Les pensées de jugements font toujours naître un sentiment de vengeance. Lorsque monte en moi une colère, c'est que je crois que ce sont les autres qui m'ont attaqué en premier, alors qu'en réalité, si je reviens d'une façon honnête sur mes pensées d'origine précédant le conflit, je pourrai observer que c'est moi qui avais frappé le premier. Si je n'effectue pas ce recul, je croirai que ma colère est justifiée et comme une légitime défense, des pensées non aimantes d'attaque et de contre-attaque peupleront mon esprit. Je n'attendrai que le bon moment, la bonne raison, réunissant ce que je crois être ma force pour contre-attaquer. Toutefois, si j'ai le pouvoir de juger et d'attaquer, les autres le peuvent aussi. Je vis donc dans l'insécurité et la peur ; ainsi, je demeure vulnérable et je nourris un conflit intérieur permanent.

Tout ce que je souhaite à l'Autre, sans m'en rendre compte, c'est ce que je me souhaite.

Si on appliquait le dicton « Œil pour œil, dent pour dent »,
le monde entier serait bientôt aveugle et édenté !

Gandhi

C'est aujourd'hui l'anniversaire de mon adolescente de 14 ans. Elle est dans une phase d'opposition et semble se foutre de mes valeurs. Elle conteste et tourne tout en dérision. La perception que j'ai d'elle est une suite d'interprétations et de jugements. Ces pensées non aimantes que j'entretiens envers elle (images) limitent mon champ d'action, me portent à agir avec désintéressement et à négliger de souligner son anniversaire, ce qui, en temps normal, serait digne de toute l'importance que je lui accorde. Je me rends au bureau et je l'appelle pour lui souhaiter bon anniversaire. Elle est absente. Je lui laisse un message sur le répondeur : j'ai déposé un petit cadeau sur sa commode, on se verra demain...

Si cette maman s'était concentrée uniquement sur ses pensées aimantes envers sa fille, comprenant qu'à l'adolescence les jeunes cherchent leur identité tout en contestant, si elle avait compris que, derrière leurs pensées et leurs agissements, ce qu'ils nous disent toujours, c'est : « Dis-moi que tu m'aimes ! », « M'aimes-tu, même si je fais cela ? », « M'aimes-tu vraiment ? », et si elle savait que ce qu'ils ont besoin d'entendre, c'est : « Je t'aime et je te comprends », « J'aime ce que tu es », « Tu as de la valeur à mes yeux », cette maman aurait eu une image et une vision aimantes de son enfant, ce qui aurait permis de construire une relation significative et valorisante pour les deux. Tout ce que nous avons à faire, c'est *l'important d'abord* : lâcher prise et les aimer.

Le parent guide et complice prend un recul, choisit de se « désidentifier » de l'ego, en refusant les pensées négatives de jugements, et fait un nouveau choix : que des pensées aimantes. Il n'a pas à lutter contre son ego parce que, dans ce combat, il perdrait. Plutôt, il expérimente des actions aimantes d'une façon évolutive pour constater les résultats, et ces résultats deviennent des motivations pour plonger dans ce qui nourrit une vraie relation avec son jeune.

C'est la personne la plus élevée qui entreprend les changements.

La folie de l'ego !

Lorsque nous sommes esclaves de nos émotions, de nombreuses tensions et colères nous font perdre notre discernement. Nous sommes responsables des émotions que nous vivons et qui sont occasionnées par nos pensées, et c'est là que nous pouvons faire des choix. Comme nous l'avons vu, il est futile de croire que de contrôler les conséquences de la pensée fausse (non aimante) peut mener à un changement. Nous ne le répéterons jamais assez : cessons de chercher des solutions à l'extérieur quand la cause est à l'intérieur. Afin d'éviter d'imposer nos frustrations à nos enfants, modifions notre façon de penser (état d'esprit).

Je demande à mes enfants de faire le ménage de leur chambre et à mon retour, rien n'est fait. Je le prends personnellement parce que je pense qu'ils manquent de considération et de respect envers moi. Ce qui amplifie ce sentiment, c'est que je les perçois comme égoïstes et ingrats, moi qui ai tellement à faire et qui suis dépassé par mes responsabilités. Ma pensée envers eux fait monter en moi un ballon d'émotion : je suis déçu et je contrôle difficilement ma raison. Cette émotion intense m'est insupportable. Même si je risque d'atteindre leur estime personnelle, j'ai un motif raisonnable pour laisser éclater mon ballon et exprimer ma colère, que je crois légitime.

Une autre peur monte en moi, je me sens coupable. La folie, c'est que mes enfants se sentent mal et moi aussi ; nous nous éloignons. De plus, je n'ai rien réglé pour ce qui est du rangement de leur chambre, perdant une belle occasion de les amener à se discipliner, à se respecter et à me respecter.

Je suis responsable de cette colère, c'est moi qui l'ai occasionnée par mes jugements sur mes enfants, alors que j'aurais pu conserver ma paix pour ne pas créer un effet d'éloignement entre nous.

Chaque fois que j'élève mon niveau de conscience et que je me transforme, j'élève mes enfants par le nouveau modèle que je leur présente.

Le parent guide et complice responsable, au lieu de réagir, agit en effectuant des Actions Aidantes Aimantes. Dans le cas précédent, pour prévenir une colère, il aurait :

- *demandé à ses enfants d'accomplir leurs tâches lorsqu'il est présent, pour pouvoir apporter sa participation, sa complicité et les encadrer ;*
- *été vigilant concernant ses pensées de jugements envers ses enfants, pour ne pas faire naître l'irresponsabilité en eux et risquer de les attaquer ;*
- *dédramatisé, relâché la tension et se serait posé cette question : « Est-ce que cela vaut la peine de diminuer l'estime personnelle de mes enfants et la mienne pour le ménage (ce qui ne veut pas dire de ne pas les encadrer) ? ;*

- *choisi l'action et la relation Nous – se respecter en exigeant un ménage supervisé par lui, selon les capacités actuelles de chacun, avec une complicité bienveillante de sa part – plutôt que la réaction.*

Miroir, miroir, dis-moi qui je suis réellement

Pour apporter des changements significatifs et enrichir ma vie, il m'est nécessaire de mettre un éclairage approprié sur moi, pour avoir un portrait juste de qui je suis. Il est cependant presque impossible d'entrer à l'intérieur de nous et de nous observer sans l'intervention biaisée de notre ego, qui nous empêche d'être réalistes et honnêtes à l'égard de nous-mêmes. C'est pourquoi ce type de démarche intérieure est si long et en décourage plusieurs. Il est extrêmement rare qu'un individu y parvienne seul, sans la participation active de son guide intérieur : sa conscience.

Tout ce que je suis et ce que je fais est obscurci par mes peurs et ma capacité à me cacher consciemment ou inconsciemment une partie de moi qui ne pourra guérir tant que je ne l'amènerai pas au grand jour. Pour accélérer cette guérison et défaire ce qui fait obstacle à mon Bonheur, un moyen efficace qui m'est offert est d'utiliser le miroir de mes émotions et de mes perceptions, ce que l'Autre me reflète.

Un exemple flagrant de la puissance de ce moyen est l'histoire des deux pionniers du mouvement des Alcooliques anonymes, Bill et Bob, qui, échec après échec, ne pouvant se guérir seuls d'une maladie compulsive et destructrice, ont trouvé la force de se réunir pour partager le miroir de souffrances identiques et pour les mettre au grand jour. Ainsi, des millions d'êtres partout dans le monde ont participé et participent encore aujourd'hui à ces réunions de partage où ils peuvent rencontrer l'Autre dans une relation d'égal à égal. Ils guérissent et réalisent plus que d'autres l'importance du Nous.

À la grande surprise des psychiatres de l'époque, qui ne trouvaient pas la solution au problème de l'alcoolisme, ce mouvement a réussi à trouver une réponse. Les participants, athées ou croyants, provenant de tous les milieux, de toutes les professions, ont trouvé l'aide ultime et sans ce soutien du Nous n'auraient pu vivre cette guérison.

L'Autre me réfléchit tout ce que je trouve bon et beau en moi. C'est ce que je suis, alors que parfois je ne le sais même pas. J'ai tendance à admirer ces qualités chez les autres parce que je les porte en moi, même si je ne les ai pas acquises complètement.

Faites cet exercice. Lisez la liste de qualités suivante : avoir le sens de la justice, de l'honneur, du partage, être respectueux envers soi et envers les autres, être généreux, assuré, honnête, sincère, intègre, cohérent, digne de confiance, patient, responsable, confiant, courageux, compatissant, tolérant, positif, reconnaissant, ouvert, humble.

Déterminez trois qualités que vous croyez avoir, puis évaluez sur cent dans quelle proportion elles correspondent à vous.

_____   _____/100 %

_____   _____/100 %

_____   _____/100 %

Pour considérer que ce sont de réels acquis, ceux-ci doivent se vivre en tout temps, sans exception, de façon constante et cohérente ; ils ne peuvent changer selon les personnes, l'humeur, les circonstances, etc.

Si je suis respectueux envers certaines personnes mais parfois arrogant envers d'autres, est-ce que je suis une personne respectueuse ? Trop souvent, nous nous croyons respectueux parce que nous sommes des gens polis et ayant de bonnes manières. Cependant, nous réagissons au manque de respect des autres parce que nous nous croyons respectueux. Si nous avons une telle réaction, est-ce possible que nous nous leurrions ?

L'exercice du miroir nous permet d'avoir un portrait réaliste de ce que nous sommes, de dépasser nos fausses croyances à notre sujet et de sortir plus rapidement de nos souffrances. Un comportement ou une situation problématique me fera réagir avec plus ou moins d'intensité selon le degré de ma souffrance. Il est clair que tout ce qui me dérange et m'affecte chez l'Autre me renvoie ce qui me reste à guérir. L'Autre est le miroir de ce que je suis; plus quelque chose me dérange, plus cela me concerne, parce que c'est Moi qui souffre. Il vient me montrer que je porte cela en Moi, il se manifeste dans un pôle (miroir direct) ou dans l'autre (miroir indirect), mais c'est le même déséquilibre.

Un miroir ne peut me tromper; si je me regarde dans celui-ci et que j'ai un air triste et les bras baissés, c'est ce que j'apercevrai, et non le contraire; je ne me verrai pas souriant avec les bras dans les airs.

Si le négativisme de certaines personnes m'horripile, mon investissement est grand. Je suis rempli d'émotions quand cela se produit. C'est mon repère le plus fidèle qui montre mon propre négativisme (miroir direct) ou mon positivisme exagéré (miroir indirect). La plupart du temps, c'est ce que je me cache et que je ne veux pas voir en moi. Je ne le vois que chez l'Autre, que je perçois comme inadéquat.

L'Autre peut m'être salutaire: il me tend la clé en me montrant l'émotion qui me fait réagir et qui va me libérer ou nous «main tenir» prisonniers tous les deux, selon que j'accepte ou refuse cette clé. Si je suis en quête d'une guérison intérieure, ce miroir est le moyen le plus rapide et le plus puissant qui m'est offert pour me libérer d'une façon de faire que je ne veux plus vivre et transmettre à mes enfants.

Par exemple, devant une attitude agressive ou violente de mon enfant, je réagis fortement et malgré mes valeurs de non-violence, je ne peux me contenir et je l'agresse moi aussi en l'attaquant verbalement et en le bousculant un peu. Si je suis conscient, je regarde les émotions que cela me fait vivre et les réactions que cela provoque en moi, et réalise que Moi aussi je suis agressif et violent. Aidé par la lumière de ma conscience, mon Coach de vie personnel, j'observe, sans me juger, cette même caractéristique (forme) qui m'habite (miroir direct) et la souffrance que cela nous fait vivre. Avec humilité et acceptation, je décide d'entreprendre la transformation. Sans contredit, j'assisterai à notre libération à tous les deux. À l'avenir, je ne réagirai plus avec cette même intensité et mon enfant aussi se transformera. Voyant que cela ne m'atteint plus, influencé par le nouveau modèle que je lui présenterai d'une personne véritablement non violente, il agira de la même façon.

Observons sans nous juger

Faites cet exercice. Lisez la liste des affects suivante : anxieux, nerveux, inquiet, soucieux, honteux, colérique, frustré, négatif, agressif, impatient, intolérant, irrespectueux, indifférent, trop sensible, arrogant, prétentieux, égoïste, critique, juge, menteur, tricheur, malhonnête, jaloux, possessif, violent, vaniteux, orgueilleux, arrogant, asocial, triste, pessimiste, vulgaire, impoli, rustre, sarcastique, ironique, paresseux, présomptueux, insolent, voleur, traître, manipulateur, profiteur, compétitif.

Déterminez trois affects qui provoquent une réaction en vous lorsque quelqu'un les manifeste en votre présence, puis évaluez sur cent dans quelle proportion vous les éprouvez dans ces moments-là.

_____   _____/100 %

_____   _____/100 %

_____   _____/100 %

Maintenant, imaginons cette situation. Nous sommes trois adultes et par rapport à l'égoïsme d'Antoine, chacun réagit complètement différemment : moi, je suis affecté par son égoïsme à 80 %, mon conjoint à 10 % et ma mère à 40 %.

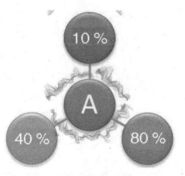

Pourquoi est-ce qu'il y a seulement moi qui réagis aussi fortement devant un enfant égoïste ? Soit je ne pense qu'à moi (miroir direct), soit je suis exagérément généreux, je donne trop en m'oubliant (miroir indirect). Antoine vient tout simplement me montrer le déséquilibre que j'ai à guérir et qui m'empêche d'être heureux parce que cela m'amène à vivre des conflits avec moi-même et avec lui.

Pourquoi certains affects nous ébranlent-ils autant? Comme on le dit souvent: «Les autres, surtout les enfants, savent exactement sur quel bouton peser pour me faire réagir.» C'est qu'ils nous reflètent un aspect de nous que nous n'aimons pas.

Le repère pour évaluer si le miroir me concerne, c'est le degré d'intensité de ma réaction. Plus je réagis, plus cela me reflète.

Ce n'est pas la souffrance de l'Autre qui me fait peur; en fait, quand il la ressent, elle me ramène à *la mienne*. C'est pour cela qu'il nous est souvent insupportable d'entendre un enfant pleurer ou exprimer une colère. Regarder cette peur avec calme en la reconnaissant tout simplement et en l'acceptant permettra la transformation de ma perception. Ma façon de réagir s'atténuera par étapes selon mon degré d'ouverture à vouloir l'éliminer. Quand je suis conscient, je comprends; c'est l'incompréhension qui me fait peur. Lorsque tout devient clair, elle disparaît et n'a plus sa raison d'être. Ainsi, je peux agir au lieu de réagir.

Si je ne fais pas humblement et consciemment ce travail d'introspection avec le miroir que me présente l'Autre, mes souffrances actuelles ne pourront pas guérir et je rencontrerai sur mon chemin le même type de personnes qui m'affecteront, car la vie se charge de nous présenter nos difficultés d'une façon récurrente. Elles se manifesteront tant que je n'aurai pas *désiré et décidé* de ne plus les vivre. C'est le plus beau cadeau que je puisse me faire: l'humilité m'offre tout, alors que l'orgueil m'enlève tout.

Pour un résultat efficace et rapide, je ne dois pas me leurrer, je dois accepter l'image provenant de l'Autre exactement comme je la vois, sans succomber à la tentation d'enlever certains aspects que je ne veux pas voir. Je refuse ou j'évite toute échappatoire. Cela me concerne à cent pour cent.

Je considère mon beau-frère comme très égoïste et je suis choqué par son attitude. Je ne dois pas minimiser le miroir de mon égoïsme en me disant:

«C'est vrai que je suis égoïste, mais pas à ce point-là!» Le piège, c'est de croire que puisque je fais un peu de bénévolat, je suis moins égoïste que lui.

Plutôt que de regarder honnêtement ce que je suis, je préfère me croire supérieur. Cette façon de voir l'Autre comme inférieur provoque un sentiment de mépris envers lui. Je vois le problème uniquement chez l'Autre. Je suis innocent, il est coupable, cela justifie mes jugements.

Attention, le miroir ne concerne que moi!

Il serait malvenu et inefficace de profiter de cette connaissance pour refléter à l'Autre ce qu'il devrait guérir, car l'utiliser de cette manière ne serait qu'une façon sournoise et manipulatrice de l'accuser sans avoir à faire mon propre travail d'introspection et de guérison. Si je ne suis pas conscient du miroir, tous les travers que je vois chez les autres ne sont que des prétextes pour accuser et attaquer. J'ai le choix: continuer à juger et à attaquer, donc utiliser ce miroir pour Moi et contre l'Autre, et rien ne guérira, ou utiliser ce miroir pour Moi avec l'intention de guérir, et la guérison sera assurée et bienfaisante pour Nous. N'attendons plus! Notre enfant nous réfléchit d'une façon agrandie nos propres souffrances.

Je n'ai qu'à retracer tout ce que je pense des autres. Cela me montrera un portrait exact de ce que je suis. Je ne parle que de moi.

Même forme ou forme différente?

La plupart du temps, nous ne voyons pas nos déséquilibres dans la même forme que nous les percevons chez l'Autre; c'est un piège qui nous empêche de voir véritablement. Pour amorcer un travail de conscience plus en profondeur, nous allons nous poser la question suivante par rapport à ce qui nous dérange ou nous affecte chez notre enfant ou chez les autres: «Est-ce que, dans la même forme (façon de faire) ou dans une forme différente, je suis pareil?» Ce questionnement a pour but de reconnaître que nous agissons de la même façon, même si la forme est différente, et de cesser de voir l'Autre comme coupable et méchant.

Cette observation est un accélérateur majeur pour nous amener à une transformation rapide et véritable. Alors, pareil ou pas pareil?

- Lui: Il bouge beaucoup à table.

  Moi: À l'heure des repas, je suis tendu et ma pensée est agitée, ou encore je fais trois choses en même temps (le souper, le lavage et je regarde la télé) en m'activant nerveusement.

- Lui: Il a tendance à se retirer et à ne plus vouloir me parler lorsqu'il est fâché.

  Moi: Je refoule à l'intérieur de moi ce qui m'affecte ou, à ma façon, j'essaie de rendre les autres coupables.

- Lui: Il ne fait pas les efforts nécessaires pour terminer ses travaux scolaires.

  Moi: Je commence des choses et je ne les finis pas, et j'ai tendance à remettre à plus tard.

Lorsque je suis conscient de la réalité et que je réponds oui à la question suivante: «Suis-je pareil dans la même forme ou dans une forme différente?», il devient évident que je n'ai pas à taper sur sa tête ni sur la mienne, sachant que nous agissons tous les deux de la même façon. Cela me permet de mieux comprendre l'intensité de certaines de mes réactions, ce qui apportera une réelle transformation selon mon désir à vouloir sortir de cette forme négative.

Lorsque je réalise que je suis égal à l'Autre dans cet aspect et que j'agis de manière identique, cela m'aide à éclairer ma conscience et me permet de l'apprécier et d'être plus aimant envers lui et envers moi.

Si je réponds non à la question précédente, niant automatiquement que je suis pareil à l'Autre, je dois refaire une introspection plus honnête et retourner voir ce qui m'affecte autant chez lui, à moins que je ne décide de faire le choix que je ne veux pas changer. J'ai toujours le choix: prendre la décision de changer et de ne plus payer le prix que cela me fait vivre, ou continuer à en payer le prix.

Voici un autre éclairage qui, nous l'espérons, vous aidera à mieux comprendre cette démonstration. J'ai en général des façons de faire qui me portent à me sentir coupable et à me juger : je suis désordonné, je suis lunatique et lent, je suis timide, je suis colérique, etc.

Qu'est-ce qui se produit ?

- Je m'adresse des reproches (je me juge) intérieurement en m'accusant tout le temps.
- Généralement, j'ai aussi dans ma vie une personne qui me reprochera ces défauts (elle me jugera).
- Étant donné que j'ai toujours à l'extérieur de moi (souvent mon enfant) un reflet agrandi de mes états d'être (des aspects de moi que je n'aime pas), je réagirai plus ou moins fortement à ces miroirs de moi-même (je jugerai mon enfant, par exemple). J'aurai honte qu'il ait ces mêmes limitations et je réagirai.

Un cercle sans fin s'amorcera et se perpétuera tant que je ne serai pas conscient du reflet. Voilà l'importance de le reconnaître, de lâcher prise concernant mes accusations envers Moi et envers l'Autre. Ainsi, je pourrai sortir de ce cercle vicieux et retrouver ma paix.

Plusieurs autres formes cachées à l'intérieur de nous peuvent être découvertes. Si l'attitude de l'Autre est constante en ma présence et que je réagis fortement, c'est que je porte ce déséquilibre en moi. Si je n'ai pas de réaction, c'est que je ne l'ai pas ou que je l'ai guéri.

Voici plusieurs exemples de comportements que nous reflète l'Autre dans une forme pareille ou différente. Vous remarquerez que dans les deux premières colonnes la forme est identique. La seule difficulté, c'est que je la vois chez l'Autre mais pas en moi. Dans la troisième colonne, la forme est différente et cachée plus profondément dans mon inconscient, ce qui me porte à croire que je ne suis vraiment pas pareil. Tant que je ne reconnaîtrai pas que ce qui me dérange m'appartient, je croirai toujours que c'est l'Autre qui est responsable de ma souffrance et je perpétuerai ces conflits en moi et avec les autres.

Pourquoi avons-nous tendance à ne pas accepter que nous sommes pareils ? C'est parce que notre ego est offusqué d'être identifié négativement et que notre image de nous est ébranlée. Nous avons honte et nous nous défendons d'être ainsi. Lorsque nous réalisons et acceptons que nous sommes pareils, cette prise de conscience nous libère et permet la transformation de notre esprit. Nous pouvons maintenant en rire et poursuivre notre route, libérés de ce fardeau.

L'Autre	Je ne le vois pas en moi, mais je le vois chez l'Autre	Je le vois encore moins en moi
Il veut toujours avoir raison.	Je veux toujours avoir raison.	Je lui dis qu'il a raison et je fais à mon goût.
Il a sa chambre en désordre.	J'ai mon garage en désordre.	Mes idées sont désordonnées.
Il fait des colères.	Je fais des colères.	J'ai l'air doux, mais je nourris du ressentiment.
Il ne veut pas écouter.	Je ne l'écoute pas.	Je n'écoute pas mes besoins réels.
Il se plaint (il est négatif).	Je me plains (je suis négatif).	J'ai l'air positif, mais je critique tout.
Il est irrespectueux.	Je suis irrespectueux.	Je suis hypocrite en me montrant poli et distingué, mais je suis mauvaise langue.
Il est violent avec son frère.	Je suis violent avec lui.	Je suis violent avec le chien.
Il est paresseux.	Je suis paresseux.	J'ai l'air de travailler, mais je remets toujours à demain.
Il n'est pas sûr de lui.	Je ne suis pas sûr de moi.	J'ai un air d'assurance, mais je suis peureux.
Il est irresponsable.	Je suis irresponsable.	J'ai l'air responsable, mais j'accuse les autres de mes échecs.
Il est jaloux.	Je suis jaloux.	J'ai l'air indépendant, mais je questionne sans cesse.
Il remet toujours à plus tard.	Je remets à plus tard.	Je mets en branle des projets, mais je ne termine rien.

Il est manipulateur et menteur.	Je manipule et je mens.	Je me vante d'être honnête, mais j'arrange la vérité.
Il boude.	Je boude.	J'exprime ce que je vis mais en culpabilisant l'Autre.
Il n'a pas confiance en lui.	Je n'ai pas confiance en moi.	Je me mets en avant, mais je ne sens pas ma force.
Il tourmente toujours sa sœur.	Je tourmente mes enfants.	Je dérange toujours les autres.
Il argumente tout le temps.	J'argumente tout le temps.	J'ai beaucoup d'oppositions dans ma tête.
Il attire l'attention.	J'attire l'attention.	Je dis que je suis timide, mais j'ai finalement l'attention de tous.
Il est lent.	Je suis lent.	Je m'énerve et cela n'avance à rien.
Il est éparpillé.	Je suis éparpillé.	Je prétends être concentré et structuré, alors que je suis confus.
Il est très agité.	Je suis énervé.	J'ai l'air calme, mais je bouillonne en dedans.
Il est égoïste.	Je ne pense qu'à moi.	Je donne pour bien paraître.
Il se comporte en victime.	Je me plains tout le temps.	Je ne me plains jamais en me sacrifiant.
Il est abaissant.	J'abaisse les autres.	J'offre des fleurs et je lance le pot après.
Il est triste.	Je suis triste.	Je me convaincs que je suis heureux, mais je suis toujours insatisfait.
Il est arrogant.	Je suis arrogant.	Je joue la modestie.

Je suis responsable, j'agis. Je scrute le miroir pour mieux voir ce qui s'y cache. J'entre à l'intérieur de moi, car je suis responsable à cent pour cent. J'arrête d'accuser les autres. Je ne me concentre plus sur leurs travers.

Sortir du réactionnel pour entrer dans le relationnel

Nos automatismes négatifs récurrents se déclenchent en fonction de notre passé. Nos attentes sont en fonction de notre futur. Notre lâcher-prise est en fonction de notre décision «main tenant», dans le présent, de ne pas attaquer, de sortir du réactionnel et d'entrer dans le relationnel.

Le parent guide et complice est un être qui vit dans le présent. Il est conscient que lui et ses enfants sont soutenus par l'amour. Il ne pense pas et n'agit pas en fonction du passé ou du futur. Il est calme et à l'intérieur de lui il sait que tous les problèmes ont une solution. Ses interventions sont aimantes et garantes d'un futur aimant. Il est complice tout en établissant un encadrement.

Voici un exemple à partir du cas suivant: mon enfant Mathieu parle souvent en pleurnichant, et cela m'exaspère.

- J'évite d'être dans le réactionnel. Normalement, par automatisme, je lui dirais: «Arrête de pleurnicher! Eh que t'es braillard! T'es fatigant!»

- Je fais le choix d'entrer dans le relationnel. J'élève mon niveau de conscience jusqu'à ma raison et je refuse d'attaquer pour conserver ma paix. Je refuse de dramatiser.

- Je me pose cette question: «Est-ce que, dans la même forme (façon de faire) ou dans une forme différente, je suis pareil à lui?»

- Je prends un temps d'arrêt, je m'observe et je prends conscience que moi aussi il m'arrive de me plaindre pour tout et pour rien: mon salaire, mon conjoint, mes enfants, le gouvernement, mes conditions de travail, etc. (même forme). Ou encore, je souffre en silence en vivant des situations difficiles et en restant seul sans en parler aux autres (forme différente).

- Réalisant que je me comporte de manière identique, je suis conciliant et j'arrive à entrer dans le mode action.

- Au lieu de gâcher notre relation, je la renforce par le rapprochement occasionné par mon ouverture et ma compréhension parce que j'aime Mathieu. Je fais des Actions Aidantes Aimantes. M'éloignant du négatif, je mets l'accent sur ce qui est aimant, ce qui nous rend plus heureux et nous sort de notre victimisation.

- Je réalise qu'il est possible que Mathieu ne sache pas comment traduire autrement ce qu'il vit et que c'est la seule façon qu'il connaît pour exprimer ses souffrances ou faire des demandes.

- Je ne le prends pas personnellement : je m'arrête à sa difficulté plutôt qu'aux mots ou à l'attitude qu'il emploie pour s'exprimer : « Tu ne veux jamais ! T'es méchant ! »

- Je prends consciemment du recul, pour ne pas me laisser emporter par mes émotions. Ainsi, je m'enseigne que je peux les maîtriser et j'enseigne à mon enfant que cela est possible, que lui aussi peut le faire. Je regarde la situation comme si c'était un autre parent qui la vivait et j'applique moi-même les pistes que je lui conseillerais.

- J'observe ma pensée. Je fais confiance à Mathieu, le sachant capable d'exprimer correctement ce qu'il vit, et je nourris son besoin en me basant sur le test des besoins fondamentaux[7].

- Je l'encadre en étant doux, ferme et constant. Par exemple, s'il parle en pleurnichant, je lui fais répéter correctement ce qu'il dit.

- Je lui présente un modèle d'une personne responsable et qui n'est plus victime.

- Chaque fois qu'il fait un effort, si minime soit-il, je le reconnais, puis je gratifie Mathieu avec honnêteté et enthousiasme, par exemple : « Merci, j'apprécie ton évolution. J'aime échanger avec toi », etc.

- Je prends un temps d'arrêt pour réaliser que je maîtrise maintenant le lâcher-prise, l'affirmation respectueuse de moi-même,

---

7. Vous pourrez faire ce test gratuitement sur notre site : www.commeunique .com.

l'écoute, la douceur, la fermeté, la confiance en Moi et en l'Autre et la gratitude, des qualités que je peux donc transmettre. Voilà ce que je me suis appris et c'est «main tenant» ce que j'enseigne à mon enfant par le nouveau modèle que je lui présente.

- Je reconnais la grandeur de ce que je peux m'apporter et apporter à mon enfant.

Être conscient de l'Autre

Lorsqu'un enfant naît, nous sommes exceptionnellement touchés par la pureté et l'innocence qu'il dégage. Pourquoi sommes-nous si émus? C'est parce que nous sommes conscients de la grandeur de la Présence de l'être qui arrive dans notre vie; nous ressentons tout son potentiel et la promesse que ce qu'il apporte est immensément grand. L'amour déjà contenu en lui nous transforme et nous nous empressons de lui donner un prénom qui vibre avec cet être avec qui, naturellement, nous entrons en relation. Rappelez-vous le premier contact que vous avez eu avec votre enfant lors de sa naissance: vous communiquiez directement avec son intérieur. Rappelez-vous aussi à quel point vous le trouviez beau. Cette beauté n'a pas nécessairement de rapport avec le physique. C'est la bonté, la pureté et l'innocence qui émanent de l'enfant qui nous font le trouver beau.

Le piège, c'est qu'en peu de temps, dès que notre enfant ne correspond pas à nos attentes, nous réagissons. Dans ces moments, il arrive qu'il se sente comme un objet, comme «quelque chose». Pour ne pas souffrir, je sacrifie cet amour que j'ai pour lui par pur égoisme, inconscient de mon meilleur intérêt; mon bien-être à moi, je l'oublie, c'est Moi et l'Autre. Aime ton prochain comme toi-même parce que ton prochain, c'est toi. Ce dont nous devrions être conscients, c'est que cet enfant nous amène une lumière. C'est lui qui sera le miroir le plus pur de ce que nous sommes. C'est pourquoi nous devrions être très reconnaissants envers nos enfants pour leur présence dans notre vie.

Être conscient de la relation

Nous subissons l'influence de nos parents. Lorsque vient notre tour, nous nous comportons généralement selon leurs modèles. Si mes parents étaient attentionnés et qu'ils prenaient soin de moi avec amour et bienveillance, je prends la relève, je fais la même chose envers moi et je fais ce même don à mes enfants. Si mes parents me brimaient, je me brime et je brime mes enfants. C'est ce qui établit le type de relation que nous vivons et transmettons en héritage.

Une étude a été faite aux États-Unis sur la perception qu'ont les parents d'eux-mêmes et de leurs enfants. On demandait aux parents d'écrire leurs qualités ainsi que leurs défauts et de tirer un trait pour visualiser la proportion positive comparativement à la proportion négative. Sur une autre feuille, ils devaient faire le même exercice par rapport à leur enfant. À leur grande surprise, les parents constataient que les proportions étaient très similaires.

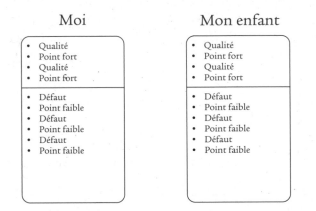

Chacun au plus profond de lui possède des élans naturels qui le poussent à être attentionné, bienveillant et bon. Toutefois, certains n'ont pas eu la chance de vivre dans un environnement chaleureux qui leur aurait permis d'exprimer librement ces vertus. De plus, on véhiculait autrefois l'idée que si l'on complimentait un enfant, cela était mauvais pour lui et qu'il devenait vaniteux, alors qu'il est si naturel de lui révéler qu'il possède certaines qualités: il n'a plus rien à prouver. Valoriser est nécessaire, alors que survaloriser provient d'un déséquilibre chez le parent qui, par manque de confiance en lui et de peur que son enfant vive la même souffrance, exagère. Attention, la dévalorisation vient aussi du manque de confiance.

> Prendre le temps de reconnaître chez l'enfant chacun de ses élans naturels devrait être naturel.

Pollution relationnelle

Dans les années 1900, les gens de la génération que l'on dit silencieuse ne savaient pas comment communiquer leurs émotions, que souvent ils refoulaient. Le recours à des jugements, à des calomnies et à des médisances leur permettait d'exprimer leurs émotions négatives. Les principes éducationnels et la morale de cette époque présentaient des comportements peu conscients de l'importance de l'être. Taper ou même frapper un enfant pour le corriger était des façons d'agir normales et acceptées comme les meilleurs moyens de l'éduquer et de le rendre responsable. Pour essayer de changer les comportements de leurs enfants, au lieu d'exprimer ce qu'ils vivaient, les parents les accusaient, inconscients des conséquences sur l'estime personnelle et la confiance en soi de leurs petits.

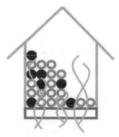

Matières polluantes relationnelles

Abandonner nos instincts primaires

Ces réactions sont les manifestations de nos instincts de survie, mémoires du passé qui recyclent le mauvais. Lâcher prise, c'est sortir du mental, débloquer notre tête des théories toutes faites et aller vers le cœur. Souvent, tout ce que nous connaissons comme moyens pour amener l'Autre à changer, c'est de le blâmer en critiquant, en répétant, en jugeant, en menaçant, en argumentant, en moralisant, etc. Une façon de faire avec laquelle nous ne nous sentons pas bien.

Ces attitudes ne coïncident plus avec nos valeurs fondamentales profondes et nos idéaux en tant que parents.

À la lumière de ce constat, regardons ce qui pourrait être fait pour transformer dans notre quotidien la réalité actuelle et effectuer rapidement un virage pour cesser de souffrir et éviter à nos enfants d'adopter ces mêmes attitudes. Il faut agir maintenant pour réduire l'écart entre ce que nous avons reçu et ce que nous aimerions vivre et transmettre à nos enfants.

À l'ère où nous vivons, alors que la conscience s'élève et s'éveille, il n'est plus normal de se transmettre des formes de contaminations aussi insidieuses et dévastatrices que les jugements, le rejet, l'indifférence, l'attaque verbale, le harcèlement psychologique et le négatif dans lequel certains baignent quotidiennement. Assoyez-vous à la table d'un café et observez le nombre de personnes, même très jeunes, qui semblent affectées par ces maladies invisibles que sont l'anxiété, la morosité, l'angoisse, la dépression, la tristesse, l'hyperactivité, les conflits intérieurs qui affectent le moral et le psychique. Nous sommes souvent insensibles à leurs souffrances parce qu'elles n'ont pas de bandages aux bras, de béquilles ou des plaies saignantes qui nous rendraient évidentes les conséquences de leurs maux. Actuellement, 52 % de nos jeunes ne terminent pas leur secondaire non pas parce qu'ils manquent d'intelligence, au contraire : 98 % d'entre eux y parviendraient facilement si ce n'était de leurs carences affectives. Nous croyons que tout cela se réglera avec quelques petites pilules et de bonnes tapes dans le dos. *Il n'est plus normal* de tolérer de tels maux dans la société actuelle. Ce qui est normal, c'est d'être heureux, épanoui et joyeux. N'est-ce pas ce que vous voulez pour vous-même et les vôtres ? Y avez-vous déjà réfléchi ? Notre responsabilité est de remplacer cette pollution relationnelle et d'instaurer dans notre environnement familial des valeurs saines empreintes de responsabilité, d'élévation et de respect mutuel dans le Nous, érigées sur notre pierre d'assise : le Bon.

Laisser tomber nos émotions négatives, cette folie relationnelle qui s'empare parfois de nous : voilà une décision majeure à laquelle nous devrons adhérer pour vivre heureux. Les relations conjugales et familiales nous offrent mille et une occasions de choisir entre aimer et maintenir des façons de se comporter où les attaques triomphent trop souvent sur l'amour que nous avons envers nous-mêmes et envers les nôtres.

Réveillons-nous et refusons catégoriquement ces pensées d'attaques qui nous séparent, nous divisent et font même souvent éclater le cœur du noyau familial. Dans le monde occidental, la moitié des couples se séparent. Nous vivons dans une société matérialiste qui nous incite à la consommation rapide et qui nous présente diverses façons de changer superficiellement notre vie. Ces sollicitations extérieures nous offrent tellement de facilité à contourner nos problèmes que nous jetons à la poubelle ce qui a de la valeur pour nous en débarrasser rapidement *sans nous transformer intérieurement.*

Mon attention vers une illusion et ma réticence ou mon hésitation à changer m'empêchent de prendre conscience d'un trésor précieux qui est à côté de moi, sous mes yeux – moi, mon conjoint, mes enfants – et qui risque de m'échapper. Trop souvent emportés par notre aveuglement, nous ne le voyons plus.

REMETTRE L'AMOUR ET LE RESPECT ENVERS SOI ET ENVERS L'AUTRE AU CŒUR DE LA RELATION

Choisir de ne plus souffrir

Imaginons que nous sommes dans une salle de cinéma et que le film projeté ait pour titre : *Je ne suis pas satisfait de mon comportement et du comportement de mes enfants*, mettant en vedette moi et, comme personnages secondaires, mon conjoint, ma fille et mon fils. Enfoncé confortablement dans mon siège, j'assiste impassiblement aux scènes quotidiennes qui se déroulent sous mes yeux et j'entre fébrilement dans l'histoire, m'identifiant aux émotions de mon personnage. Malgré qu'il y ait du Bon, les mêmes scènes et les mêmes réactions se répètent tous les jours. J'aimerais m'élancer sur l'écran et améliorer le scénario : faire disparaître mes colères envers mon fils qui ne m'écoute pas, ma fille qui n'apporte pas sa participation et mon conjoint qui me reprend tout le temps. Une partie de moi, ma raison, intervient à ce moment-là ; elle a une bonne idée d'une mise en scène différente. Comme le meilleur des metteurs en scène, j'aimerais conseiller l'acteur que je suis afin qu'il agisse autrement. Mais ce thriller dramatique où je vois le héros (moi), le Bon et le méchant en même temps ne me surprend guère et je connais déjà la fin : les bons gagnent et les méchants perdent. De toute évidence, j'aimerais changer tout le méchant en bon. J'aimerais tellement être heureux et réussir mon rôle de parent dans ce grand film. Exaspéré, soupirant et tournant mon regard vers la cabine de projection, je sens une lueur d'espoir monter en moi. Je prends donc la décision de ne plus souffrir et de changer le titre de ce film pour *Je vis heureux et épanoui avec ma famille*. Je me lève et me dirige vers la cabine de projection. Je prends la bobine et coupe toutes les scènes que je ne veux plus vivre. Je laisse des espaces vierges entre les bonnes scènes pour écrire un nouveau scénario, guidé cette fois-ci par mon Coach de vie personnel à l'intérieur de moi qui connaît les principes de l'Estime de Nous. Maintenant, je sais que le héros de mon film vivra un *happy end*.

La clé d'or: *reconnaître mon erreur* et être heureux au lieu de vouloir avoir raison tout en continuant à être malheureux. Voilà la décision qui me fait passer du monde de l'émotivité à celui de la raison et qui m'apporte la paix et la tranquillité d'esprit. La décision étant prise, ma sagesse intérieure me dicte la direction adéquate. À l'inverse, en ne prenant pas de décision, je choisis inconsciemment la souffrance.

Maintenant que nous sommes conscients – au contraire du singe qui ne pouvait accéder à la raison et qui n'a pas su reconnaître son erreur –, prenons notre responsabilité de créer cette vie harmonieuse à laquelle nous aspirons tous.

Un nouveau scénario

Ce que j'écris coïncide-t-il avec mes vraies aspirations? Je dois être vigilant avant chaque reprise de scène, en orientant l'acteur pour qu'il n'écrive que du Bon, comme le meilleur Auteur de sa vie.

Voici les étapes pour défaire les mauvaises séquences et sortir du mode réactionnel:

1. Reconnaître mon erreur sans me juger.
2. Prendre un recul et observer la scène comme si c'était quelqu'un d'autre.
3. Monter mon niveau de conscience jusqu'à ma raison.
4. Prendre la décision de refuser de m'attaquer ou d'attaquer l'Autre.
5. Sortir en dehors du champ de bataille; lâcher la prise, déposer les armes.

6. Dédramatiser, relâcher la tension (une erreur se corrige).

7. Choisir la relation Nous plutôt que la réaction (orgueil et solitude).

8. Par rapport au comportement dérangeant, me poser cette question : « Dans la même forme ou une forme différente, suis-je pareil ? »

9. Accomplir des Actions Aidantes Aimantes.

À l'aide d'exemples, observons uniquement la première et la neuvième étape.

Étape 1. Reconnaître mon erreur sans me juger.

Parent 1. Il a tendance à être autoritaire et ses enfants vivent des manques affectifs. Ils ont donc des comportements dérangeants pour aller chercher sa complicité. Il est dictateur, dur, exigeant, contraignant, il manque de compassion, ne voit que le négatif et donne des ordres en moralisant.

Parent 2. Il est laxiste et permissif envers ses enfants, qui ne l'écoutent pas et se sentent insécurisés. Ils ont des comportements dérangeants pour aller chercher son encadrement. Il n'a aucune structure et n'impose pas de balises. Il est peureux, victime et craint de ne pas être aimé.

Ces deux parents réagissent en vivant des colères sourdes ou mal exprimées. Eux et leurs enfants évoluent dans un climat de tension.

Leur erreur est de croire que la difficulté vient des enfants et de se considérer comme victimes de leurs comportements dérangeants, alors qu'il leur suffirait d'agir sur la *cause réelle* qui est leur fermeture intérieure et leur manque de douceur : l'autoritaire est dur et fermé envers ses enfants et le laxiste est dur et fermé envers lui-même. La première Action Aidante Aimante, dans les deux cas, sera de privilégier la douceur qui leur fait défaut, sans oublier la fermeté bienveillante des balises qu'ils devront instaurer dans la famille. Ainsi, ils s'enseigneront cette qualité qui, disons-le à nouveau, est une force et non une faiblesse. L'ayant acquise, ils seront des modèles et pourront la transmettre à leurs enfants.

Étape 9. Accomplir des Actions Aidantes Aimantes.

Ah! Ah! Ah! Pour provoquer le rire en Moi et chez l'Autre, pour dédramatiser, je dois éviter de voir la situation comme un drame. De plus, pour être efficaces, mes Actions doivent être Aidantes et provenir du cœur, donc être Aimantes.

Prise 1. Je peux faire une Action, mais elle peut ne pas être Aidante et Aimante.

Prise 2. Je peux faire une Action Aidante pour atteindre mon but, mais elle peut ne pas être Aimante.

Les résultats de ces deux dernières prises sont le conflit, la tension, la déception et la division. Le repère pour savoir s'il ne manque aucun «A» est d'observer si les résultats apportent la joie, le calme, l'harmonie et l'union. Pour être certain que mes Actions seront Aidantes *et* Aimantes, il me sera utile de demander l'aide de mon Coach de vie intérieur et de les appliquer d'une façon évolutive.

Frédéric bouge beaucoup à table.

Prise 1. Pour changer son comportement, je monte le ton avec agressivité et je lui dis d'arrêter de bouger, ce qui l'énerve encore plus. J'ai fait une Action, mais elle n'était ni Aidante ni Aimante.

Prise 2. Pour changer son comportement, je lui fais peur en le culpabilisant et je le menace de lui enlever une permission à laquelle il tient beaucoup. Il arrête de bouger, mais il se sent coupable et a peur de ne pas avoir sa permission. J'ai fait une Action Aidante pour qu'il arrête de bouger, mais elle n'était pas Aimante.

Prise 3. Pour nous aider à manger dans la tranquillité, je me calme intérieurement en décidant d'être présent à mes enfants à l'heure du repas et d'échanger avec eux. Je m'assois près de lui, je m'y intéresse et nous bavardons joyeusement. Je suis tolérant s'il bouge un peu. Je le félicite de sa bonne tenue avec enthousiasme et je le remercie puisqu'il a mangé sans trop bouger. C'était une Action Aidante et Aimante parce que la solution venait du cœur, et non de la tête.

Émilie me parle avec irrespect.

Prise 1. Je choisis de la laisser faire. Cela semble bon pour elle sur le coup parce qu'elle peut se défouler et être autoritaire envers moi. Ce n'est pas bon pour moi ni pour la relation entre nous. C'est une Action qui n'est ni Aidante ni Aimante.

Prise 2. Je réplique en étant irrespectueux moi aussi. Cela semble bon pour moi. Nous projetons notre colère, et cela semble nous apaiser momentanément, mais ce n'est pas bon pour la relation entre nous puisque nous souffrons d'éloignement chaque fois. C'est une Action qui semblait Aidante mais qui n'est pas Aimante.

Prise 3. Je refuse d'attaquer moi aussi. Je l'écoute en reconnaissant sa souffrance et en lui disant: «Émilie, pour me parler de la sorte, tu es sûrement fâchée, et je crois que tu dois souffrir beaucoup (sans m'opposer ni moraliser). Je me retire et lorsque nous serons calmes tous les deux, j'aimerais que nous en discutions.»

Après avoir dédramatisé et lâché prise, je dois me demander: «Comment se fait-il qu'elle me parle ainsi?» Je revois la qualité de notre lien: les dons relationnels que je me fais et que je lui fais sont-ils empreints de Bon ou de mauvais? Je me demande aussi: «Dans la même forme (façon de faire) ou une forme différente, suis-je pareil à elle (je ne me respecte pas ou je ne respecte pas ma fille)?» Si je vois que je me comporte de manière identique, j'apporte des modifications en présentant un nouveau modèle. Ces façons d'être sont Bonnes pour moi, Bonnes pour ma fille et Bonnes pour la relation entre nous. Et ces Actions sont Aidantes et Aimantes.

Voici des exemples d'Actions Aidantes Aimantes pour développer des habiletés.

- Situation actuelle chez un enfant: Je ne fais pas mon lit.
- Objectif: Faire mon lit avec joie et facilité tous les jours.
- Actions Aidantes Aimantes:
  1. Je fais mon lit avec maman et on fait le sien.
  2. J'en fais une partie seul et l'autre partie avec maman ou papa; on rit des bosses.

3. Je le fais pratiquement seul ; papa ou maman et moi, on le finit en s'amusant.

- Situation actuelle chez un adulte : Je fais mon lit de temps en temps, à l'heure qui me convient.

- Objectif : Faire mon lit chaque jour en faisant pénétrer la lumière dans la pièce.

- Actions Aidantes Aimantes :
  1. Je développe l'automatisme de le faire au réveil, avant même de faire autre chose.
  2. Je tire l'édredon, je place les coussins et j'ouvre les stores.
  3. Je prends plaisir à faire mon lit et à éclairer ma chambre de soleil.

Vous pouvez fixer des objectifs pour vous ou les autres, en accordant une semaine pour chaque application. À la moindre petite réussite, félicitez-vous ou gratifiez l'Autre d'un cadeau relationnel : du temps accordé, une fête en famille, etc. Cela s'appelle marquer le bon coup. Bravo !

Cinquième accélérateur de transformation : être confiant

La confiance, c'est avoir la foi, la certitude qu'une force inébranlable m'habite, sur laquelle je peux compter en tout temps. Sans cette conscience, ma confiance est fragile. Cette confiance, je l'acquiers en accomplissant des expériences en collaboration avec ma force intérieure, ce qui me procure une accumulation de petites réussites, solidifie et augmente ma foi. Tant que je n'aurai pas moi-même expérimenté le soutien et l'inspiration de cette force, atteindre la confiance en moi ne sera qu'une théorie à laquelle je croirai plus ou moins. Cette connaissance que j'acquiers en l'expérimentant m'amène à la confiance véritable. Par la suite, elle grandit : je suis fort, j'éprouve un sentiment de sécurité, je suis assuré de mes ressources, de mes capacités, et ainsi tout devient possible. Seul celui qui a confiance est fort et se permet l'honnêteté parce qu'il n'a pas peur et n'a pas à se cacher. Il est humble et n'a pas besoin de prouver quoi que ce soit. Celui qui n'a pas confiance essaie souvent de prouver sa force à l'extérieur.

Une petite souris prétentieuse, bien assise sur le dos d'un éléphant, traverse un pont de bois qui vibre sous ses pas. Arrivée sur la terre ferme, elle soulève l'oreille de sa monture et lui dit : « Je te fais vibrer ça, moi, un pont ! »

Soyons réalistes, faisons confiance à la force (éléphant) qui nous soutient et lâchons prise.

Pour vivre heureux, il est indubitable que nous avons besoin de nous faire confiance et de faire confiance à l'Autre, puisque nous sommes toujours en relation et que nous avons besoin des autres qui collaborent à notre bien-être. Qu'il s'agisse de liens affectifs (famille, conjoint, enfants, amis) ou de services (fabricants de savons ou de vêtements, cultivateurs, médecins, policiers), nous sommes interdépendants. Pensez à la chemise que vous portez. On dit qu'il y a au moins cent cinquante personnes impliquées dans le processus de sa fabrication, jusqu'à vous !

Lorsque je manque de confiance, je me sens inférieur et je me coupe des autres de peur d'être rejeté. Je m'isole et m'éloigne des situations qui me rendraient mal à mon aise, ce qui m'empêche de m'ouvrir et de vivre des relations empreintes de joie réelle. Mon enfant sent que je manque de confiance en moi et que je n'arrive pas à entrer en relation de confiance véritable avec les autres. Il est le spectateur de mes insécurités et lui aussi, sans s'en rendre compte, développe la peur des autres.

Si je manque de confiance en moi, le cinquième accélérateur de transformation peut me propulser vers une recherche d'expérimentations de cette force intérieure qui peut, si j'en prends la décision, m'amener à une modification radicale de ma vie. J'éprouverai un profond sentiment de bien-être, de sécurité et d'assurance qui apportera avec lui une nouvelle manière d'être qui me permettra d'aimer ce que je suis, ce qui se répercutera sur mon enfant. De plus, sans cette confiance en moi, je ne pourrai lui donner ce regard de confiance qu'il attend de son parent.

Lorsque j'ai peur, je manque de confiance, et cela maintient mon état d'insécurité qui m'empêche de développer la confiance.

Sortir de nos peurs

La peur est une des raisons qui nous empêchent de lâcher prise et d'agir. Trois formes de réactions sont possibles. Vous vous retrouverez dans l'une ou l'autre de ces formes, selon la situation vécue ou selon votre personnalité.

Confronté à un problème relationnel,

- je paralyse, je fige sur place et je n'arrive pas à agir pour régler la situation. Cette forme a comme conséquence de bloquer toutes mes pensées raisonnables. Elle apporte la confusion : mes paroles et mes actions sont incohérentes. Je suis « hors de moi » tellement la confusion est présente, occasionnée par ma peur démesurée. Je n'arrive plus à me contrôler. La voix me manque. J'ai le sentiment que je serai démoli, alors j'ai le goût de démolir l'Autre en l'abaissant ;

- je nie la peur en moi, tout comme Hansel et Gretel, dans le conte allemand, qui, traversant la forêt, prétendaient qu'ils n'avaient pas peur et adoptaient une attitude de courage, sifflotant comme si de rien n'était. Ce qui trahissait leur désinvolture et leur prétention, c'est qu'aucun son n'arrivait à sortir de leur bouche (que du vent) et que leur démarche saccadée, par à-coups, révélait d'une façon pathétique la peur qu'ils avaient au ventre. Je nie ma peur, mais je réagis en argumentant, en menaçant, en moralisant ; je m'obstine à avoir raison ;

- je fuis vers l'avant, je m'enfuis hors de la réalité. Je sais plus ou moins qu'il y a quelque chose qui me trouble et je fais comme si cela n'existait pas, gardant au tréfonds de moi cette peur qui me hante. Et pour l'étouffer, je m'enfuis dans des substituts : travail, plaisirs, voyages, alcool, drogues, sexe, magasinage, casino... Je n'ose pas regarder cette peur en face, car la souffrance est trop grande. Je nie ma peur et je fais le *cool*. Je laisse faire, j'accumule, et je suis dépassé par les difficultés.

Afin de passer à l'action et de contrer ces trois formes de peurs pour enfin nous en libérer et régler nos conflits au lieu de les nier, nous devrons passer du stade «enfant qui a peur» au stade «adulte responsable» en prenant la ferme décision d'agir. Il est faux de croire que je n'ai aucun contrôle sur ma peur.

Rappelez-vous l'époque où vous aviez entre 3 et 6 ans. Le soir, dans votre chambre, la peur vous hantait. Seul, figé par la peur, vous imaginiez des monstres sous votre lit ou des sorcières derrière les rideaux, vous craigniez d'être enlevé par un voleur... Votre imagination fonctionnait à cent milles à l'heure, mais vous la niiez en vous cachant la tête sous l'oreiller ou vous criiez à tue-tête, et vos parents accouraient.

Dans ces moments, si votre parent n'avait pas lui-même guéri ses peurs et vous disait: «Veux-tu bien te rendormir! Il n'y en a pas de danger. Je te l'ai déjà dit, hier! Arrête de nous déranger. Fais le grand garçon ou la bonne fille. Il faut que je dorme, demain je travaille», cela ne vous rassurait pas comme «enfant qui a peur». À l'inverse, si votre parent avait confiance en lui et vous allumait une douce lumière pour vous écouter en reconnaissant votre peur, qui semblait réelle pour vous, et qu'il vous montrait la réalité: que derrière les rideaux et sous le lit, il n'y avait que des mirages et qu'aucun monstre ne s'y cachait réellement, que ces peurs ne provenaient que de votre imagination, vous étiez rassuré, vous vous apaisiez, vous dormiez calmement, en paix, et ces peurs ne revenaient plus. Ouvrir doucement la lumière apporte toute la compréhension pour nous donner la capacité de lâcher prise et d'agir. Ce qui nous empêche de sortir de nos peurs, c'est d'abord que nous ne reconnaissons pas que nous avons peur. Nous n'allumons pas la lumière pour regarder bien en face la source, notre imagination, ce qui nous rassurerait et nous permettrait de réaliser qu'il n'y a rien de dangereux. Aujourd'hui, nos peurs proviennent aussi de notre imagination.

Maintenant que je suis adulte, que sont ces monstres et ces sorcières? La peur d'être inadéquat, de ne pas être aimé, d'être rejeté, d'être un mauvais parent, de perdre la face, de ne pas être à la hauteur. Tous nous ressentons des peurs, même ceux qui semblent avoir confiance et qui affichent une désinvolture pleine d'assurance. Vous pouvez donc vous détendre : tous ceux de qui vous avez peur et avec qui vous vous comparez ou êtes en compétition ont la même trouille que vous. Une confiance bâtie sur l'extérieur est fragile et peut s'écrouler à tout moment ! Rangeons nos peurs dans nos anciens coffres à jouets, il est temps de marcher sur le chemin de la maturité.

Reconnaître la peur pour la désamorcer, c'est remettre les proportions à leur état normal. C'est dédramatiser.

Lorsque la peur naît en nous et que nous la laissons grandir en lui accordant de l'importance, l'objet de notre peur prend des proportions démesurées. D'un grain de sable nous faisons une montagne et nous créons nos peurs.

Grain de sable	Montagne
• Mon fils de 6 mois bave en mangeant.	• J'imagine et j'ai peur qu'on le trouve dégoûtant et qu'on me juge.
• Ma fille s'habille lentement.	• J'imagine et j'ai peur qu'elle dérange tout le monde à la garderie.
• Mon fils veut porter le même chandail deux jours d'affilée à l'école.	• J'imagine et j'ai peur qu'on pense que je ne suis pas propre.
• Mon fils est très agité.	• J'imagine et j'ai peur qu'il n'arrive jamais à se contrôler.
• Mon enfant de 7 ans fait pipi la nuit.	• J'imagine et j'ai peur que si on s'en aperçoit, il soit rejeté.
• Mes enfants se disputent.	• J'imagine et j'ai peur qu'ils ne s'aiment jamais.
• Mon enfant s'est chicané avec celui du voisin.	• J'imagine et j'ai peur qu'il ne me parle plus.
• Mon fils a des difficultés à l'école.	• J'imagine et j'ai peur qu'il ne réussisse pas sa vie.
• J'ai surpris ma fille à fumer du cannabis.	• J'imagine et j'ai peur qu'elle finisse avec des drogues dures.

On dit que 98 % de nos peurs ne se réalisent jamais. Il est donc inutile d'entretenir des peurs.

Que dois-je faire si j'ai peur des autres?

- Reconnaître cette peur que l'Autre soit supérieur à moi.
- Établir la valeur de mon propre bien-être à communiquer avec les autres.
- Selon le système de défense que j'utilise, soit me renfermer sur moi, soit être ironique, soit m'évader par des moyens artificiels, être conscient que de renoncer à ma peur ne m'enlèvera rien et me sera salutaire.
- Arrêter d'éviter les autres. Les fréquenter, conscient de la force qui m'habite, me fera perdre cette peur de l'Autre.
- Dépasser ma peur. Conscient que, selon mes capacités, je peux la maîtriser en me fixant de petits objectifs, prendre le risque de m'approcher de l'Autre progressivement. Je commence avec une personne avec qui je suis déjà un peu à l'aise; cela peut être mon conjoint ou ma mère. Je me montre tel que je suis avec authenticité. Je partage des confidences, ce que je ne fais pas habituellement.
- Faire confiance en voyant déjà le résultat: «J'ai confiance, je communique plus facilement avec les autres et je suis heureux en leur présence.»
- À chaque petite réussite, faire un arrêt conscient pour reconnaître les pas que je fais et le bien-être que cela me procure.

L'importance et la puissance du modèle

Il est impératif de comprendre que le modèle est le moyen le plus puissant pour enseigner ce que nous aimerions transmettre. La meilleure technique d'apprentissage est de regarder quelqu'un agir, cela m'enseigne davantage que s'il m'expliquait pendant des heures et des heures comment faire (sa théorie). À cause de cette puissance et de ce pouvoir qu'a le modèle, il est essentiel de ne suivre et de ne présenter que celui qui mène au bien-être. Depuis des générations, que ce soit dans la nature ou chez l'humain, le monde évolue et est influencé par des modèles relationnels positifs ou négatifs. Nous pouvons remarquer que même les animaux apprennent en regardant et en observant leurs parents. Nous sommes responsables de l'image que nous projetons devant les enfants, puisqu'elle influencera ce qu'ils deviendront. Je le fais pour Moi, pour avoir la joie de vivre avec un enfant heureux et épanoui.

C'est par mon corps que j'entre en relation, il « parle » et envoie des messages. Ils sont aussi puissants en positif qu'en négatif. Par ailleurs, 92 % des messages captés proviennent de l'expression physique et 8 % des mots.

Nous sommes naturellement portés à copier les modèles qui nous entourent et qui constituent nos guides. C'est pourquoi il est si important que le parent présente un guide auquel l'enfant pourra s'identifier. Ce modèle sécurisant et cohérent pourra affirmer: «Fais ce que je te dis parce que c'est ce que je fais! Et ce que je fais est bon pour Moi, bon pour toi et bon pour Nous. »

Ne demandez pas à vos enfants de faire ce que vous ne faites pas. Pourquoi? Parce que cela ne marche pas.

Vous aimeriez que votre enfant fasse le ménage de sa chambre alors que votre bureau, votre garage et même votre voiture sont en désordre! Les enfants ne sont pas dupes. Nous venons de voir qu'ils apprennent par l'exemple.

Il y a quelques années, une publicité télévisée montrait un jeune garçon âgé d'environ 12 ans qui était raccompagné à la maison par des policiers. Il avait volé des cartouches de cigarettes dans un dépanneur. Le père, outragé, le semonçait devant les agents. Mais après leur départ, nous pouvions voir le père brancher des fils à un décodeur maison, ce qui lui permettait de pirater le câble. Il se vantait même de son exploit à ses amis. L'évidence parle d'elle-même. Comment voulez-vous que le fils se comporte autrement?

Au magasin, une maman accompagnée de son petit de 7 ans ouvre les emballages de quelques produits et les manipule sans égard et sans respect. Insatisfaite de leur qualité, elle les laisse sur l'étalage. Quelques heures plus tard, avant d'entrer à la maison, elle décide d'aller faire ses emplettes au marché d'alimentation, toujours avec son garçonnet. Voyant son fils ouvrir un sac de friandises, vexée, elle le semonce devant la caissière. Trouvez l'erreur!

Moi qui aimerais que mon mari soit bienveillant envers mes enfants, quel modèle de bienveillance est-ce que je présente? Je suis douce envers eux, mais agressive envers lui. Le modèle que je donne est immature et contradictoire, donc je devrais le réévaluer.

Je peux évaluer l'impact de mes actions en observant si ce que je reçois correspond au modèle que je présente.

Si je veux que mon enfant développe la confiance en lui, je lui présente le modèle adéquat pour qu'il me voie agir et marcher avec confiance.

Si je n'ai pas confiance en moi...

Je suis responsable. Je prends la décision ferme de dépasser ce blocage et d'atteindre mon but, qui est d'avoir foi en moi. Je pratique les Actions Aidantes Aimantes suivantes:

- Allumer mes lumières: m'observer pour être conscient de la souffrance que je me fais vivre et regarder objectivement les conséquences négatives;

- Prendre la décision de ne plus souffrir et d'avoir recours à la force qui m'habite. Entrer en relation avec cette présence intérieure;

- Renoncer à ce qui est sans valeur, abandonner ce que je ne veux plus vivre et mettre l'accent sur l'essentiel;

- Évaluer ce qui mine ma confiance en moi, dans mon vécu, et prendre la décision de refuser catégoriquement ce qui me nuit, par exemple arrêter de me comparer, de me dénigrer. Observer et dépasser toutes les oppositions que je crée moi-même dans mon esprit;

- Agir pas à pas, conscient d'être soutenu, pour que chacun de mes pas soit puissamment renforcé, ce qui me donnera de plus en plus confiance en moi;

- Puisque la confiance en soi se développe par la reconnaissance de ma capacité à réussir, ne faire que ce qui est Aidant et Aimant, par exemple voir le Bon et le Beau;

- M'accomplir: développer mes dons, mes forces, mon potentiel.

Plus j'évolue dans la direction de mon choix conscient, plus je vis du Bon, et plus j'acquiers de la confiance; j'obtiens des gains solides sur lesquels je peux compter en tout temps. Une confiance réelle s'installe et ma paix intérieure pleinement vécue se reflète à l'extérieur; il n'y a que du Beau.

Encouragé par ces expériences positives, je les rechercherai activement pour avoir de nouveaux résultats. C'est cela qui sera ma vraie motivation!

Si je n'ai pas confiance en mon enfant...

Faire confiance à l'Autre, c'est se fier sans crainte d'être trompé. La confiance est un état d'être complet; il n'y a pas de demi-mesure ou de compromis. On ne peut faire confiance un peu ou à moitié; on fait confiance, ou pas du tout.

Lorsque je n'ai pas confiance en moi, je ne fais pas réellement confiance à mes enfants. Et parce que j'ai peur, je ne me fie *qu'à moi*, ne faisant jamais confiance à personne. Il n'y a donc pas de confiance réelle qui peut s'installer dans la famille.

Éduquer, c'est enseigner, et un parent guide et complice doit croire aux idées qu'il enseigne, les appliquer à son vécu et en présenter un modèle. S'il ne les vit pas, le parent responsable se transforme pour les transmettre. Il doit aussi faire confiance à son enfant-élève à qui il présente ces idées.

Pour que l'enfant développe la confiance en lui, il est évident que la personne qui est son guide et son complice dans son environnement doit être crédible et juste dans ses interventions.

Le manque de confiance engendre insécurité et remises en question. Il me fait croire que l'Autre manque de ressources, de talent, qu'il ne réussira pas. C'est une roue qui tourne, me faisant basculer dans le négatif. Pour sortir de mes doutes, je dois prendre la décision consciente de faire confiance et de ne plus entrer dans ce mode de faiblesse qui me fait douter de Moi et de l'Autre :

Confiance en l'Autre	Manque de confiance en l'Autre
• Croire en lui.	• Ne pas croire en lui.
• Croire que l'Autre est bon.	• Ne pas croire que l'Autre est bon.
• Croire en sa valeur.	• Ne pas croire en la valeur de l'Autre.
• Croire en ses dons.	• Ne pas croire aux dons de l'Autre.
• Croire qu'il a de l'intérêt.	• Ne pas croire qu'il a de l'intérêt.
• Croire en son honnêteté.	• Ne pas croire en son honnêteté.
• Croire à son intégrité.	• Ne pas croire à son intégrité.

Faire confiance, c'est comme lorsque j'envoie une lettre par la poste. J'y appose mon timbre et la dépose dans la boîte aux lettres, confiant qu'elle arrivera à bon port. Je ne reste pas à côté de la boîte, inquiet, me demandant si elle va se rendre et je ne poursuis pas le postier pas à pas pour vérifier s'il la livrera au destinataire. Naturellement, je fais confiance à l'Autre pour que tout se passe bien !

Si je n'ai pas confiance en Moi, il m'est difficile de transmettre ce sentiment aux autres. Cela est causé par la croyance que si je communique mon admiration à l'Autre, cela me diminuera, il n'en restera plus pour moi. Cette sensation de perdre lorsque l'on donne nous vient de notre peur que l'Autre soit plus que nous. On nous a enseigné qu'il y a un gagnant et un perdant dans une relation, ce qui nous porte à diminuer l'Autre inconsciemment pour être le gagnant.

Voir le Beau

Le Bon est une vertu que l'on reconnaît principalement à l'intérieur, alors que le Beau se perçoit à l'extérieur. Il est le reflet du Bon intérieur. Le Beau suscite en nous un sentiment d'admiration. Une chose étonnante se produit lorsque nous sommes témoins d'un geste de bonté: nous oublions complètement le corps de la personne. Avez-vous déjà trouvé laid quelqu'un qui manifestait un élan de générosité ? Pensons à une pomme dans un arbre qui nous attire par sa beauté extérieure, reflet de ce qui est à l'intérieur et que nous connaissons comme bon. Voyons ce Beau et partageons-le avec nos enfants et nos adolescents, qui n'attendent que cette reconnaissance admirative: reconnaissance de leurs moindres petits efforts, de leurs initiatives, des actions positives qu'ils ont faites, des petits sourires, des mercis, de l'aide émanant du Bon qui les habite. Ayons la conscience de mettre une lumière sur l'enfant et ses petites réussites, quelles qu'elles soient, ce qui fera monter progressivement la sève de la confiance en Nous. À chaque reconnaissance d'une réussite, la sève monte, étape par étape, faisant son chemin dans un tronc fort et solide et atteignant son but final, promesse d'une production de fruits abondante.

> Lorsque je vois le Beau, cela me rend fort et je donne de la force à l'Autre. À l'inverse, lorsque je vois les fautes, cela m'affaiblit et affaiblit l'Autre.

C'est dans notre regard que l'enfant peut ressentir qu'il a toute notre confiance. Elle s'exprime quand nous jetons un regard d'admiration directement dans ses yeux, devenant l'étincelle qui allume son foyer intérieur. Celui-ci sent qu'une lumière brille en lui et de plus, elle prend tout son éclat et son effervescence par le soutien et la complicité aimante de son parent. Dès l'instant où il reçoit cette guidance et cette complicité, une force germe en lui ; il développe la confiance en soi. Observez les yeux de l'enfant qui recherche votre regard de confiance pour se lancer les premières fois dans une expérimentation, et lorsqu'il vit une petite réussite, la première chose qu'il cherche en jetant un coup d'œil vers vous, c'est votre regard d'admiration.

Un regard, ce n'est pas seulement les yeux. Tout l'être est engagé. Il est soutenu par sa force intérieure et utilise son regard qui transmet le message de sa pensée de confiance, ce qui procure à l'Autre un sentiment de sécurité qui garantit la réussite. Là, on peut dire que dans de nombreux cas, nous pouvons soulever des montagnes et transformer radicalement le cours de la vie d'un enfant! Ne minimisons pas ces regards, ils sont extrêmement puissants; ils peuvent avoir autant de force en positif qu'en négatif. Un seul regard ou une seule parole peut miner ou ébranler la confiance d'une personne. Si nous abaissons verbalement l'Autre, pensant remonter notre estime, nous nous sentons mal à l'aise, conscients d'éteindre cette lumière en Nous. Lorsque je noircis l'Autre, je me noircis automatiquement. Par exemple, j'ai trois enfants. Devant les deux autres, j'en abaisse un. Le climat familial est contaminé. Une perte de confiance s'installe. Et c'est moi qui ai provoqué cela.

Si nous ne transmettons pas cette admiration pour le Beau qui émerge de nos enfants, le narcissisme (idolâtrie de soi) peut se développer et devenir une source de souffrances pour tous. Cette quête d'admiration recherchée négativement provoquera le rejet, l'expulsion de la relation. À l'inverse, celui qui vit l'humiliation devient timoré et craintif. Dans les deux cas, ils ne peuvent produire aucun fruit.

Rien n'est plus important que d'avoir dans notre vie une personne d'influence guide et complice, que ce soit un parent, un ami, un conjoint, un patron, un professeur, une éducatrice, un entraîneur, un parrain, un grand frère ou une grande sœur qui nous prodigue son admiration, cette lumière si essentielle à la croissance de l'être. Faire ce don d'admiration procure une force exceptionnelle, un moteur qui propulse l'être vers les plus hauts sommets. Voyez-vous à quel point vous êtes important! Le cadeau, c'est qu'en donnant cette lumière à l'Autre en toute conscience, comme nous le savons maintenant, elle nous revient. Voyez-vous la grandeur de ce que nous sommes!

Julien est un enseignant en quatrième année du primaire. Dès le début de l'année scolaire, il a révélé à un enfant qui manquait de confiance en lui et qui éprouvait des difficultés dans ses apprentissages scolaires qu'il avait une pleine confiance en sa réussite. Tout au long de l'année, l'enseignant allumait l'étincelle chez son élève en le motivant à progresser d'une façon évolutive et surtout en admirant ses moindres réussites. C'est par le regard confiant de cet homme que l'enfant a pu atteindre son but, ce qui, pour ce dernier, semblait impossible au départ. Tous les deux ont terminé l'année gagnants!

Julien est un enseignant exceptionnel. La complicité aimante qu'il dégage influence sa classe, ses collègues et toute l'école. Par lui, l'Estime de Nous prend tout son sens. Merci Julien, le modèle que tu présentes est une source d'inspiration pour tous.

L'adolescent

N'oublions pas que les adolescents, dans cette phase de l'évolution de l'humain où ils se cherchent, ont *plus que tout* besoin de ce regard de soutien et d'admiration. Cessons de les juger et arrêtons nos reproches. Ils cherchent désespérément – souvent de façon maladroite – à recevoir notre amour, alors que nous les jugeons. Ne jetons pas la serviette, croyant qu'ils sont rendus à un âge où ils devraient être pleinement responsables. Durant la phase de l'adolescence, ils ont 14-15 ans dans certains aspects et 2 ans dans d'autres.

Cette admiration juste que j'accorde à mon adolescent l'amène à me faire confiance. Et dans la relation que je viens d'établir s'ancrera un lien où tout sera possible.

Pour développer la confiance, faire le choix de l'ouverture, de la compassion et du partage

L'ouverture

L'homme, dès sa naissance, regarde le monde avec émerveillement, surprise et étonnement. Dans la Grèce antique, l'âge de la lumière, les Grecs étaient tellement conscients de la puissance de l'émerveillement qu'ils ont exploité ce pouvoir en utilisant cette conscience au maximum, ce qui leur a permis de développer une confiance exceptionnelle et de réaliser des œuvres grandioses qui, de nos jours encore, nous étonnent.

Les sculpteurs grecs ont symbolisé à travers leur art le regard d'étonnement qu'avaient leurs guerriers kouros. Ceux-ci sont affublés de grands yeux qui nous semblent exagérément ouverts. Ils représentent ce regard d'étonnement et d'émerveillement sur la vie. Retrouvons ce pouvoir en nous afin de nous surprendre nous-mêmes et de créer l'ouverture qui nous porte à agir, et ce, quel que soit notre âge.

Émerveillons-nous encore de nos réussites et de celles des autres pour nous rapprocher et avoir confiance en Nous.

La confiance, c'est zéro limite

La confiance, c'est croire en Moi, croire en l'Autre et croire en la vie. C'est voir au-delà de ce que nous vivons maintenant, sans limites. C'est l'abondance et l'épanouissement. Cessons de faire référence à nos vieilles cassettes, à nos réponses et à nos solutions toutes faites venant des croyances des modèles de notre enfance. Ouvrons-nous au dialogue intérieur avec notre Coach qui, lui, est source d'inspiration et nous amène à vivre le moment présent et à être dans un état créatif qui nous donne confiance en nos moyens et élargit notre champ de vision.

Lorsque je suis fermé et que mon esprit est rempli d'oppositions, je fabrique la pénurie et la pauvreté. Tout ce que je perçois comme impossible à réaliser, je dois le voir possible en créant consciemment une ouverture en moi. Trop souvent, nous croyons que cet impossible est comme un obstacle infranchissable qui se dresse devant nous, alors qu'il n'est qu'un écran de fumée que nous pouvons franchir facilement en abandonnant nos oppositions et en faisant confiance.

Vivre dans le moment présent, c'est ouvrir mon esprit à quelque chose de nouveau. C'est faire totalement confiance, voir autrement, dépasser mes peurs et passer au mode zéro limite concernant ce que je pense possible uniquement pour les autres. Zéro limite, c'est refuser toutes les oppositions qui nous font reculer au lieu d'avancer.

- Mon enfant a des difficultés scolaires. Je n'ai pas confiance qu'il réussisse dans la vie.

  Comparaison: Mes neveux et nièces réussissent si facilement...

  Zéro limite: Il peut réussir en musique, là où est sa force.

- Mon enfant est timide. Je n'ai pas confiance qu'il ait assez de caractère pour être heureux.

  Comparaison: Sa sœur est fonceuse et débrouillarde.

  Zéro limite: Il peut dépasser sa timidité et même devenir orateur...

- Mon adolescent est renfermé. Je n'ai pas confiance qu'il s'épanouisse.

  Comparaison : Ses amis sont expressifs et sociables.

  Zéro limite : Il peut s'ouvrir et développer son charisme dans un domaine où il excelle.

Si je crois que ce que je vis est stagnant, que je n'entrevois pas la possibilité de changements en une vie remplie d'abondance selon mes aspirations, et que je continue à me limiter et à limiter les autres, quand donc viendra ce Bonheur auquel j'aspire ? Est-ce ici et « main tenant » que je veux le vivre ou dans cent ans ? Voilà l'importance et l'urgence de rendre conscient mon choix d'être autoami ou autoennemi et de prendre la décision ferme d'agir. Tous peuvent aspirer à la réussite en prenant contact avec la force qui les habite, la mettant à leur service et au service des autres.

Si je ne fais pas confiance et que je crois qu'il peut arriver quelque chose de mauvais, je retire le Bon et je donne de la valeur à ce qui n'en a pas : le mauvais. Cette croyance au mauvais nous amène à la faiblesse et à la destruction.

La compassion

Pourquoi rechercher le Bonheur ? Parce que c'est Bon pour Nous. Il n'y a pas plus égoïste qu'une personne malheureuse. Il n'y a pas plus généreux qu'une personne heureuse.

Sans ouverture ni compassion, il ne peut y avoir de relation aimante. La compassion, c'est là où on arrête d'être égoïste, c'est le premier dépassement de soi, c'est aussi le désir d'aller vers l'Autre. C'est cesser d'avoir peur de l'Autre. Avoir un enfant nous enseigne souvent, pour la première fois de notre vie, ce qu'est le dépassement de soi. Cette relation de rapprochement permet de puiser à l'intérieur de nous cette compassion qui nous est si naturelle.

La compassion « main tenant » ma propre main en est une empreinte de douceur envers moi. C'est être attentif à prendre en charge mon bien-être, c'est être capable de me sécuriser, de me donner de la chaleur, de l'affection, de la tendresse. C'est pouvoir me faire des dons, m'encourager, me féliciter, permettre à la joie de monter en moi, qui suis conscient de mes moindres petites réussites. C'est être complice et disponible à moi, c'est être conscient de la richesse à l'intérieur de moi, c'est aussi avoir du discernement, conscient de la valeur et du pouvoir que j'ai. C'est cesser de me juger et de me comparer, c'est l'accueil et l'acceptation aimante de ce que je suis, c'est être tolérant envers moi-même en respectant ma réalité. Lorsqu'on a dans notre environnement une personne qui a de la compassion envers elle-même, on n'est pas inquiet, on sait qu'elle prend soin d'elle. Cette personne a du charisme, elle attire le Bon comme un aimant. On aime être en sa présence, elle a du cœur. Elle est lumineuse et rayonnante. Elle a des pensées optimistes pour elle et les autres. Elle ne donne que ce qu'elle est, avec authenticité.

La compassion « main tenant » la main de l'Autre, c'est voir l'Autre comme son égal, c'est être dans un état de disponibilité sans aucun jugement, ouvert, aimant, à l'écoute, attentif à ses besoins fondamentaux, dans une bonne disposition intérieure, prêt à l'accueillir.

Amour ou appel à l'amour

Dans la compassion, qui est échange et partage, il se peut que quelqu'un vive une difficulté qui est en réalité un appel à l'amour. La personne qui n'est pas affectée est en général dans une bonne posture intérieure, c'est-à-dire qu'elle est ouverte à donner et disponible à émettre une compassion juste. Elle devra cependant attendre que l'Autre lui demande son aide pour que la compassion ne soit pas destructrice ni pour l'une ni pour l'autre. La véritable compassion se fait sans effort. Il suffit seulement de démontrer à l'Autre qu'on est présent, là, avec lui.

La personne qui est disponible pour aider véritablement est patiente et calme. Elle ne cherche pas à trouver des solutions pour l'Autre, mais lui permet de découvrir ses propres réponses. Tout comme une coupole parabolique, elle capte et retransmet à l'Autre son reflet pour lui permettre de remonter à la source de sa difficulté, afin que tous les deux découvrent un chemin libérateur. Lorsque l'Autre ressent ma compassion, il voit que je suis lié à l'écoute de ce qu'il vit. Si cela est la réalité, je peux lui dire : « Moi aussi je vis... ou j'ai déjà vécu une expérience semblable à la tienne. » Il ressent l'égalité dans la relation. Avec discernement, je ne devrais pas m'identifier à sa souffrance, mais plutôt à *lui*, à cet être qui est là devant moi, le voyant capable de trouver sa solution. Ce n'est pas un hasard si l'Autre me montre ce type de souffrance. Ai-je besoin de compassion pour moi-même ?

Une expérience rapportée par le Dr Lenz dans le livre *Zéro limite* de Joe Vitale et confirmée par l'équipe d'intervenants avec qui il travaillait révèle que c'est avec une vraie compassion qu'il a réussi à guérir une grande majorité de ses patients, en reconnaissant que leurs difficultés étaient aussi les siennes. C'est en faisant un travail de guérison intérieure sur lui-même qu'il a vu ses malades sortir de leurs conditions extrêmes et, progressivement, vivre dans des conditions plus normales. Là, son action apportait une aide véritable ! Nous également, les auteurs de ce livre en quête de transformation intérieure, réalisons à la suite de la pratique des pistes que nous mettons de l'avant que de grandes transformations s'opèrent en nous chaque jour et qu'elles changent notre vie.

Bonne posture ou imposture ?

Lorsque nous n'avons pas une réelle compassion, nous entretenons une certaine victimisation chez l'Autre et en nous. Nous nous déresponsabilisons et nous déresponsabilisons l'Autre en surenchérissant sur ses justifications, ses doléances, ses plaintes, ses accusations et, souvent, en nous les appropriant, ce qui entretient en nous cet état de victimisation et empêche la guérison de part et d'autre. Il est fréquent de confondre la pitié et la véritable compassion. En général, celui qui éprouve de la pitié adopte inconsciemment une attitude de supériorité avec ses intentions et sa prétention à vouloir aider. Il apporte ses réponses et ses solutions qui, la plupart du temps, ne sont pas justes puisqu'elles ne peuvent tenir compte de la réalité associée à ce problème. Il n'a pas la vision de l'ensemble du passé, du présent et du futur de celui qu'il veut soutenir. Ainsi, il peut davantage nuire qu'aider parce que l'imposture crée la confusion.

Le partage

L'amour est partage. Dans un partage véritable, il y a échange où chacun donne et reçoit d'une façon équilibrée. Le partage qui, à la base, suppose l'égalité a souvent été vécu comme une injustice et un sacrifice. Pensons à nos bonnes mamans et grands-mamans qui, aux repas du dimanche, s'affairaient à servir toute la famille, se sacrifiant en silence. Ce qu'elles ont en commun? Elles n'ont pas nécessairement été heureuses parce qu'elles se sont oubliées en pensant que c'était de l'amour.

Partager, échanger et communiquer à l'heure des repas

Un moment privilégié pour partager du Bon en famille et le multiplier est l'heure des repas. Partager des idées aimantes, c'est les renforcer.

Le parent guide et complice accompagne ses enfants à la table du partage. L'heure des repas est le moment idéal pour échanger en famille et transmettre nos valeurs. C'est l'occasion rêvée de créer des liens particulièrement nourrissants pour solidifier le noyau familial et ainsi enrichir toutes nos relations extérieures : il est impossible, lorsque je suis heureux à l'intérieur de ma famille, que les autres n'en profitent pas.

La partie guide du parent guide et complice crée un climat favorable teinté de paix, de joie et d'harmonie qui incite les enfants à la collaboration. Il est un modèle en donnant l'exemple des consignes de base pour structurer un repas heureux. Sa partie complice, par son attitude bienveillante et adaptée à la personnalité et aux âges de ses enfants, encourage ceux-ci à suivre l'exemple.

Voici des Actions Aidantes Aimantes pour créer une atmosphère propice au partage et à l'échange d'un bon repas en famille :

- Comme les Japonais, qui enlèvent leurs chaussures et les déposent à l'entrée pour ne pas faire pénétrer la poussière de leurs soucis dans la maison, mettez vos jugements de côté, rangez au vestiaire votre fardeau, votre sac à dos de récriminations, de rancœur et de doléances, et privilégiez la tolérance et la joie.

- Créez un espace d'ouverture et d'harmonie en vous. Laissez tomber les pensées non aimantes.

- Soyez attentif à la moindre manifestation de bonté et de beauté chez vos enfants et les autres participants au repas; reconnaissez-la et nommez-la.

- Soyez reconnaissant d'avoir la chance d'être en famille et de partager un repas qui vous comble. N'ayez pas peur de le verbaliser.

- Soyez conscient de votre bien-être et soyez attentif au bien-être de chacun de ceux qui partagent ce repas avec vous.

- Soyez dans l'instant présent et aimez la présence des autres.

- Appréciez chaque instant qui passe durant ce repas.

- Échangez, communiquez respectueusement avec vos enfants en vous rappelant le grand désir que vous avez eu de les avoir.

- Profitez de ce moment pour les regarder avec un œil nouveau, avec amour, comme si vous les voyiez réellement pour la première fois.

- Acceptez leurs petites faiblesses que vous avez souvent tendance à amplifier, comme plusieurs parents le font, à cause de vos attentes et des préjugés qui circulent à leur sujet: «Des enfants, c'est dérangeant!»

- Mettez de côté vos différences et cessez de vous chamailler en recourant à des comparaisons. Au contraire, remarquez et soulignez ce qui vous rassemble et vous unit, tant les parents que les enfants: «J'ai de la difficulté au hockey, mais j'excelle au soccer. Toi, c'est le contraire. Mais ce qui nous unit, c'est que nous aimons tous les deux le cinéma, la musique et le sport.»

- Placez-vous dans une ambiance de simplicité, détendez-vous en échangeant avec calme vos expériences de la journée.

- Favorisez l'humour en racontant des anecdotes et des blagues. Riez!

Comment agir lorsque des éléments négatifs ou des erreurs surviennent pendant le repas?

- Dédramatisez et n'accordez pas d'importance au négatif. Au contraire, semez des éléments positifs.

- Intéressez-vous à ce que vivent vos enfants. Plus vous le ferez, plus vous créerez un climat de respect et de collaboration tout en leur permettant de développer un sentiment de grande estime personnelle.

- Créez un climat favorable à l'intimité en baissant le son de la télévision ou de la musique.

- Choisissez une musique de fond agréable et calmante.

- Jouez à des jeux qui incitent à la complicité et à l'échange en inventant, par exemple, des questions dans lesquelles chacun révèle un peu de lui. Assurez-vous que chacun soit bien entendu (parent guide):
  - Nomme trois animaux que tu préfères. Pourquoi? Ceux que tu aimes moins. Pourquoi?
  - Si tu étais un animal (ou une fleur), lequel aimerais-tu être? Pourquoi?
  - Nomme quatre aliments que tu aimes manger (que tu aimes moins manger).
  - Raconte deux de tes plus beaux souvenirs. (Évitez de parler de mauvais souvenirs pour ne pas couper l'appétit!)
  - Nomme la chose que tu aimes le plus faire (le moins faire).
  - Nomme les films, les histoires ou les sports que tu aimes.

- Utilisez également d'autres types de questions (par exemple, trouver des noms de personnes, d'objets, d'animaux ou de plantes qui commencent par a, b, c, etc.), ou encore jouez à la famille heureuse.

Comment agir devant certains comportements difficiles?

L'enfant manque d'appétit, ne veut pas manger des aliments spécifiques ou prend trop de temps pour manger?

- Au lieu de réagir et de créer un climat de tension (par exemple, je lui dis constamment de manger plus vite, je le harcèle pour qu'il mange davantage, je lui dis qu'il va rester petit; s'il ne mange pas assez ou qu'il n'accélère pas, je le menace de lui enlever une permission ou de ne pas aller à son activité préférée), je dois me demander: «Mon attitude actuelle par rapport à cette difficulté m'aide-t-elle à atteindre mon but?» Si je réponds non à cette question...

- Je modifie mon comportement qui, de toute façon, n'est pas très efficace. Je dédramatise : j'évite de percevoir cette situation comme un drame, de juger mon enfant en croyant qu'il est mal intentionné et qu'il ne veut pas apporter sa collaboration. Je prends le temps de dépasser ces jugements envers lui.

- Maintenant que j'ai lâché prise intérieurement et que j'ai cessé de le juger, je partage avec lui (par exemple : « Lorsque tu ne manges pas beaucoup, nous sommes tendus parce que j'insiste, et cela t'énerve. Cela crée un climat de division entre nous. Que pourrions-nous faire pour régler la situation ? »).

- Je me questionne sur mon objectif : qu'il mange plus et dans un temps raisonnable.

- Selon l'impact que cela a sur lui, j'essaie des moyens efficaces qui me permettraient d'atteindre mon but, des Actions Aidantes Aimantes :
  - Je lui sers de petites portions pour que ce soit moins décourageant et qu'il puisse même en redemander ;
  - Je décore son assiette pour lui donner le goût de manger. Je fais un bonhomme avec des légumes (ou encore une auto, un chat à moustaches, etc.) et je lui demande de manger les bras (des morceaux de carotte), les jambes (des bâtonnets de céleri), etc. ;
  - Je lui sers souvent ses mets préférés (par exemple, du riz) et je lui demande de manger ce que j'ai ajouté (par exemple, du poulet). Je détermine la quantité selon son âge, par exemple : 3 ans = 3 bouchées, 6 ans = 6 bouchées, etc.) ;
  - Pour être moins inquiet, je lui donne des suppléments alimentaires afin qu'il ait tous les nutriments nécessaires à sa croissance (donc, je mettrai moins de pression sur lui) ;
  - Je camoufle certains aliments qu'il aime moins dans la purée ou je les sers en potage ou en jus ;
  - Je place devant lui un membre de la famille qui a un bon appétit et qu'il peut voir manger ;
  - Je me sers un aliment, sans lui en donner, pour qu'il ait le goût de piger dans mon assiette ;

- En dehors des repas, je mets près de lui une assiette de légumes crus ou de fruits en dés. Je n'ai plus besoin d'insister pour qu'il mange ces aliments au repas;
- Je mets du fromage fondu sur certains aliments qu'il aime moins;
- J'ajoute des trempettes, des sauces;
- Je vois avec lui le temps qu'il pourrait prendre pour manger chaque aliment. Nous regardons l'heure: 4 minutes pour la purée de pommes de terre, 3 minutes pour la viande, 2 minutes pour les légumes et 2 minutes pour le riz, par exemple. Certains enfants aiment avoir cette structure. Ils sont stimulés par cet encadrement et finissent par adopter un rythme plus rapide;
- Je l'encourage lorsqu'il a mangé une portion raisonnable; je lui dis: «Tu avais beaucoup d'appétit aujourd'hui!»;
- Je discute de choses positives avec lui, je m'intéresse à ce qu'il vit et nous faisons des temps d'arrêt où je lui demande de manger une bouchée de chaque aliment;
- J'utilise une minuterie ou un sablier et je lui demande de manger dans le temps alloué.

L'enfant se plaint toujours que les repas ne sont pas à son goût.

- Je me pose cette question: «Est-ce que je considère ses goûts?»
- En dehors des repas, je vois avec lui ce qu'il aime et ce qu'il n'aime pas. Je prends des notes avec lui et je l'implique à l'occasion dans la préparation de son assiette.
- Selon ce qu'il aura exprimé, je lui démontre que je tiens compte de ses goûts, mais je l'habitue par étapes à en développer d'autres qui rejoindront ceux de la famille.
- S'il a tendance à être négatif, même en dehors des repas, il serait bon que je le gratifie avec enthousiasme, pour qu'il développe l'habitude d'être positif.
- Pour développer l'automatisme de la gratitude chez lui mais également chez les autres enfants, après le repas je fais un exercice en famille qui consiste à nommer chacun un aliment, une saveur ou une épice apprécié parmi les mets servis.

- Un autre truc aidant : si je constate qu'il apprécie un mets qu'il est en train de manger, je lui dis : « Tu sembles aimer beaucoup ce plat ! » Et je l'invite à le verbaliser, par exemple : « Elle est bonne ta soupe, maman (papa) ! » Le parent complice peut répondre : « Merci, cela me rend heureux de me sentir apprécié par toi. Cela me donne le goût de cuisiner pour toi. »

Partager lorsque je suis noué par une émotion

Une émotion négative révélée et partagée libère. Tout ce que je cache à l'intérieur de moi a pour effet de refouler une culpabilité qui empoisonne ma vie. Pourtant, lorsque dévoilé, cela peut, dans la grande majorité des cas, être considéré comme quelque chose sans trop d'importance par des personnes de l'extérieur, alors que pour moi cela contient une charge émotive avec certaines conséquences. Cette situation démontre la relative gravité des souffrances émotionnelles que l'on peut s'infliger et que l'on garde inutilement secrètes.

D'abord, me révéler à moi-même

Je dois avoir assez d'amour et de compassion envers moi-même pour me choisir et choisir de me libérer. Ma culpabilité inconsciente est comme un iceberg d'émotions négatives accumulées au fond de moi. C'est ma responsabilité de plonger sous la mer pour ramener à la surface, selon mes capacités et mon discernement, de petits morceaux de souffrances pour les faire fondre et les faire disparaître à l'aide de la lumière du soleil (ma conscience). Le simple fait de les reconnaître me permettra déjà de les dissiper petit à petit. En outre, il est salutaire de trouver dans mon environnement une personne en qui j'ai confiance pour partager ces nœuds qui m'enlèvent toute possibilité de m'épanouir.

Partager lorsque l'Autre est concerné par un de mes nœuds

Avant tout, j'évite le mode réactionnel transmis depuis des générations : menacer, répéter, blâmer, etc.

Malgré mes interdictions, mon fils court dans la rue, ce qui m'affole : je lui crie après.

La chambre de mon enfant est complètement en désordre : je le harcèle pour qu'il range.

Ma fille entre à des heures indues, ne se souciant pas de la consigne, et cela m'inquiète : je moralise.

Maintenant que je suis sorti du mode réactionnel, j'agis. La première Action Aidante Aimante pour Moi comme pour l'Autre est de partager ce qui est vécu en parlant de Nous, puisque si je souffre d'une situation qui nous concerne, l'Autre souffre aussi parce qu'il y a tension et conflit. Cette révélation en Nous ne doit contenir *aucune accusation ni jugement*.

Dans les années 1900, lorsqu'un comportement nous dérangeait chez l'Autre, nous nous adressions à lui en l'accusant directement, en parlant au *tu* : « *Tu* es irresponsable... *Tu* es paresseux... *Tu* me déranges... » Cette façon de nous exprimer avait comme impact de diminuer l'estime personnelle de l'Autre et de nous en éloigner. En utilisant le *tu*, je ne pensais qu'à Moi, en oubliant l'Autre ; je le culpabilisais. Cela me permettait d'utiliser mon pouvoir égoïste sur l'Autre.

Dans les années 1950, une nouvelle forme d'expression a été adoptée pour manifester à l'Autre un comportement dérangeant ; nous sommes sortis du *tu* accusateur pour passer au *je* : « *Je* suis frustré quand tu... *Je* suis peiné parce que tu... » Le but était de se libérer de ses souffrances en les exprimant à l'Autre avec l'intention de ne pas l'accuser, mais le résultat était que l'Autre se sentait quand même coupable. Ce message en *je* est un moyen d'expression pour se libérer, certes, mais s'il n'établit pas préalablement notre égalité avec l'Autre, il continuera à nous faire souffrir. Le problème, c'est que souvent ce *je*, inconsciemment, maintient subtilement la culpabilité chez l'Autre, si bien qu'après la communication, un des deux se sent encore perdant, même si les intentions de celui qui s'est révélé étaient que chacun sorte de cette situation gagnant.

> Pour être efficace, le *je* devrait être utilisé pour révéler notre appréciation plutôt que nos récriminations.

Que l'on recoure au *tu* ou au *je*, dans la plupart des cas, le conflit demeure, on ne fait que se lancer la balle. L'Autre ressent mon égoïsme et ma supériorité, et n'a pas le goût de participer à un vrai partage. La preuve, c'est que la plupart du temps, à la suite d'une révélation, l'Autre se ferme en répliquant : « Tu fais la même chose... Toi-même, tu ne t'es pas regardé... Va te regarder dans le miroir... » Comme disent souvent les enfants : « Celui qui le dit, c'est celui qui l'est ! » Constatons à nouveau par cet exemple que nous accusons toujours l'Autre de ce que nous faisons dans la même forme ou une forme différente !

Si mon intention est égoïste, cela culpabilisera l'Autre. Peu importe comment je m'exprimerai, il en sortira toujours un faux partage. Quand l'Autre se sent coupable, il veut culpabiliser à son tour. Là où le nœud ne peut se défaire, c'est lorsque je pense à Moi et que j'oublie l'Autre. Cette Action n'est ni Aidante ni Aimante. Elle comprend un échange à sens unique.

« Quand c'est l'heure de te coucher et que tu te lèves plusieurs fois, cela *m*'oblige à intervenir. *Je* suis irrité parce que *j*'ai besoin de me reposer. *J*'ai besoin de ta collaboration. » Quand je ne parle que de moi et que je n'inclus pas l'Autre, il ne ressent que mon égoïsme et se sent coupable. Ce moyen est inefficace parce que l'Autre ne se sent pas concerné. Tout ce que je lui envoie comme message, c'est : « *Tu* me déranges (je suis irrité parce que je veux me reposer). »

Avant de partager, je devrais prendre un temps d'arrêt pour évaluer la pensée qui m'anime, pour me demander : « Quel est mon but ? Est-ce que je veux dominer l'Autre en faisant valoir mon pouvoir, ou est-ce que je veux communiquer (mettre en commun) et partager réellement ? » Lorsque j'ai fait le choix, je peux à ce moment-là – et seulement à ce moment-là – me révéler, sans craindre d'attaquer ou de culpabiliser. Il est inutile en état de crise, peu importe sa nature, de se révéler ou de partager, car nos impulsions sont empreintes d'émotivité et notre intervention ne peut être aidante. Nous serons à fleur de peau et l'Autre également. Concernant nos enfants, nous perdrons la possibilité de les guider en ne maîtrisant ni la situation ni nos émotions. Nous serons tentés de tomber dans l'autoritarisme ou la permissivité, ce qui ne réglera rien.

Partager en Nous

Le Nous est là pour établir l'égalité : je pense à Moi et je pense aussi à toi. En utilisant le Nous, on élimine toute ascendance de pouvoir sur l'Autre, on se révèle en partageant.

Reprenons l'exemple précédent où je partage maintenant en utilisant le Nous. Ce moyen est efficace, car l'Autre se sent concerné et a le goût de participer parce que je le considère : « Quand c'est l'heure du coucher et que tu sens le besoin de te lever quelques fois, *nous* sommes irrités tous les deux ; *nous* avons besoin de *nous* reposer. Que pourrions-*nous* faire pour corriger cette situation ? »

Le parent guide et complice n'emploie pas les reproches, les accusations, la culpabilisation ou les jugements. Il partage, cherche à élever, à responsabiliser. Le partage en Nous rapproche, crée l'union ; il développe le respect et la responsabilité de chacun. Essayez-le, vous verrez : c'est puissant, c'est magique !

Un partage est équitable si les résultats sont l'union et le rapprochement. Sinon, il crée la séparation et l'éloignement.

Prenons maintenant d'autres exemples et faisons toute la démarche.

Mes enfants se disent des paroles blessantes.

- Je dédramatise et je prends conscience que tout part de Moi. Cela m'aidera à partager verbalement ce que nous vivons sans attaquer.
- Au lieu de les accuser en réagissant et en prononçant moi aussi des paroles abaissantes (« Tu es méchant... Vous êtes irrespectueux... »), je fais une Action Aidante en me questionnant : « Est-ce que je fais la même chose ? »

- Si je constate que moi aussi je suis abaissant (je les compare entre eux, je dénigre souvent ma sœur ou le voisin devant eux, je disqualifie mon conjoint devant eux), je reconnais mes façons de faire, sans me juger, ce qui m'aidera à les désamorcer, à abandonner ces anciennes habitudes et à présenter un nouveau modèle. Je pourrai échanger véritablement, et ainsi mon message sera mieux reçu, parce que le respect sera présent.

- Je partage au Nous : « Lorsque des paroles blessantes sont prononcées, cela crée un climat de tension et cela *nous* rend agités ; *nous* devenons anxieux, frustrés et blessés. *Nous* avons besoin de *nous* comprendre et de valoriser le respect entre *nous*. »

- Si des paroles abaissantes sont encore prononcées par automatisme pendant la période de désapprentissage du négatif, une autre Action Aidante et Aimante est possible : assumer la conséquence de ses actions, c'est-à-dire que celui qui a blessé répare par des paroles élevantes.

Mon enfant bouge beaucoup à table.

- Je partage au Nous : « Lorsque *nous* sommes assis à table et qu'il y a de l'agitation, cela *nous* empêche de manger et de communiquer ensemble calmement. *Nous* sommes tendus. J'ai besoin de calme pour bien digérer, et toi aussi. »

- Je me demande quel est mon but : vivre un repas harmonieux.

- J'utilise des Actions Aidantes Aimantes pour atteindre mon but :
  - Je modifie mon comportement actuel qui, de toute façon, n'est pas efficace. Je dédramatise : j'évite de percevoir cette situation comme un drame, de juger mon enfant en croyant qu'il est mal intentionné et qu'il ne veut pas apporter sa collaboration. Je prends le temps de dépasser ces jugements.
  - Je me pose ces questions : « Suis-je un modèle ou est-ce que moi aussi je me lève constamment ? Est-ce que ma pensée est agitée ? Suis-je tendu ? Est-ce moi qui lui transmets ma tension ? » Si je réponds oui, j'apporte des modifications.
  - À l'aide d'un sablier ou d'une minuterie, je lui demande d'allonger le temps où il mange sans bouger ; je l'augmente petit à

petit. Je remarque son évolution avec enthousiasme, je le félicite, je l'encourage.
- Vous pouvez aussi retourner aux moyens suggérés précédem-
ment à la rubrique «Partager, échanger et communiquer à
l'heure des repas» (voir à la page 167) et les appliquer pour fa-
voriser le calme.

Mon enfant prend beaucoup de temps pour se préparer le matin.

- Je partage au Nous: «Ce matin, c'est lent. *Nous* risquons d'être en
retard, d'être tendus et anxieux. J'ai besoin de ta collaboration par
rapport à cela. Que pourrions-*nous* faire?»

- Je me demande quel est mon but: qu'il se prépare plus rapidement pour éviter la tension et l'anxiété.

- J'utilise des Actions Aidantes Aimantes pour atteindre mon but:
- Si la lenteur est récurrente, je vois un spécialiste pour évaluer
le problème.
- Si je réalise que mes interventions actuelles sont décourageantes,
que je mets trop de pression, que ma façon de lui faire des demandes ne l'invite pas à obéir ou que, dans ces moments-là, je
suis dur, tendu, autoritaire, sec, j'effectue les changements appropriés. Je suis plus complice, je collabore davantage.
- J'apporte ma participation en l'aidant et en le stimulant selon
son intérêt[8].
- Je fais des jeux, par exemple le premier habillé entre toi et moi
choisit la musique qui accompagnera le petit déjeuner.

---

8. Voir à ce sujet l'article *La lenteur du matin* sur notre site: www.commeunique
.com.

CHAPITRE 8

LE TRÉSOR

Sixième accélérateur de transformation : être convaincu

La conviction est le sentiment de quelqu'un qui croit fermement à ce qu'il pense, dit ou fait. Si nous sommes intimement convaincus de la valeur de notre importance et de celle de l'Autre, nous serons convaincants dans la transmission des vraies valeurs. La conviction me permet de me tenir debout, d'agir avec fermeté. En tant que modèles positifs et aimants, nous sommes des personnes d'influence pour orienter nos jeunes. Au contraire, en nourrissant le doute et l'ambivalence concernant nos valeurs, nous créons une société qui est la source d'insécurité, dépourvue d'assises solides, où les jeunes, laissés à eux-mêmes, manquent d'encadrement ferme empreint de conviction quant aux valeurs saines. Eux et nous ne pouvons nous identifier à quelque chose de signifiant. Ce laisser-aller de part et d'autre nous fait vivre inutilement des pertes relationnelles, ce n'est que de l'«in-signifiant».

Ai-je la vision de ce qui a de la valeur pour Moi?

La conviction me permet d'atteindre mes objectifs. Elle renferme toute la puissance et le pouvoir de la volonté. Ce moteur me propulse vers la valeur à laquelle je tends, tout comme Cupidon qui tend son arc pour propulser sa flèche vers l'objet de son désir. Le Bonheur pour moi et les miens, est-ce signifiant? Est-ce important? Suis-je vraiment convaincu? Je n'ai pas à effectuer un calcul mental mais simplement à ouvrir mon cœur pour découvrir ce que ma tête n'arrive pas toujours à comprendre.

Avoir une vision du Bonheur, voilà la vision du résultat final. C'est arrêter d'être insouciant ou indifférent et choisir ses valeurs pour orienter consciemment sa volonté vers l'épanouissement de chacun de Nous.

Le parent guide et complice convaincu guide son enfant en l'accompagnant. Il se base sur son expérience du Bon et transmet ses valeurs en les vivant et en encadrant son enfant, comme un tuteur à côté d'une jeune plante, pour lui donner une direction vers le haut.

Signifiant ou in-signifiant

Nous pouvons établir ce qui a de la valeur par les effets et le retour que cela nous apporte et qui sera signifiant ou « in-signifiant ».

- Je voue un grand respect à mes enfants, ce qui se manifeste dans mes pensées, mes paroles et mes actions.

  Le retour : Ils ont beaucoup de considération envers moi et me respectent ; leurs pensées, leurs paroles et leurs actions en témoignent.

- J'aime être présent aux autres, tout en ne m'oubliant pas. J'aime consacrer du temps à ma famille et aux gens qui m'entourent.

  Le retour : De l'appréciation et de la reconnaissance.

- Je suis honnête envers moi-même et envers les autres.

  Le retour : Ils m'accordent leur confiance et je me fais confiance.

- J'achète une nouvelle auto à laquelle j'accorde beaucoup d'attention. Dans mon esprit et dans les faits, elle prend plus de place que l'affection que je voue à mes enfants.

  Le retour : Mon auto ne me dit jamais « Je t'aime » (perte d'affection).

- Ma carrière passe au premier plan, au détriment de ma famille. Je ne calcule pas mes heures. Mes enfants souffrent de mon absence. Je me convaincs en me disant que je n'ai pas le choix.

  Le retour : Solitude, souffrance et perte de relation nourrissante.

- Mon apparence physique et le ménage de ma maison sont importants pour moi. Pour atteindre ces idéaux, que je mets au premier plan, je m'épuise, je gaspille mes énergies à rendre ma maison impeccable et je perds mes journées à courir les magasins. Les répercussions sont que je deviens impatient, intolérant et irrespectueux, des comportements qui vont à l'encontre de mes valeurs, tel le respect.

Le retour : Je me culpabilise et les autres sont irrespectueux envers moi ; il n'y a que des pertes.

Accorder une égale valeur à tout ne me permet pas de distinguer le signifiant de l'«in-signifiant». Ma vie tourne en rond. Je perds énormément de temps, que ce soit :

- en pensées : je ressasse les mêmes pensées et je me laisse envahir par mes commentaires, mes jugements, mes peurs, qui tournent dans ma tête comme un petit hamster ;

- en paroles : je bavarde de mon dernier magasinage – les marques, les soldes, la qualité, la dernière bouffe à tel restaurant. Je jase d'un tel ou d'une telle. Je parle pour ne rien dire ou pour essayer de me valoriser ;

- ou en actions : je passe des heures à l'ordinateur à tuer ma solitude. Je m'éparpille, cherchant la bonne relation, ou une «chose» qui va enfin me rendre heureux. Je multiplie les activités dépourvues de sens et d'idéal.

Lorsque je mets l'accent sur ce qui est futile, il y a perte de sens, de valeur et d'estime personnelle. Tant que ma vie n'aura pas d'objectif et que je ne lui donnerai pas un but certain, elle continuera à aller comme ça, dans tous les sens ; je ne verrai jamais ma propre valeur, la valeur de ma vie et le signifiant qu'elle pourrait avoir.

Ce manque de conviction véritable nous propulse trop faiblement vers nos aspirations et ne comporte que des intentions, des souhaits ou des résolutions qui n'aboutissent pas ; nous laissons tomber nos vraies valeurs par manque de motivation réelle. Ce n'est pas que nous manquons de bonne volonté, c'est que nous diluons nos énergies et les déplaçons vers l'«in-signifiant», alors que tous nous cherchons à être heureux et que seul le signifiant peut nous l'apporter.

SIGNIFIANT Intérêts multiples	«IN-SIGNIFIANT» Faillite relationnelle
Pensées aimantes	**Pensées non aimantes**
• Élever	• Abaisser
• Être conscient	• Être inconscient
• Choisir le Bonheur	• Choisir le malheur
• Ne voir que le Bon	• Voir le mauvais
• Agir	• Réagir
• Constance	• Inconstance
• Douceur	• Dureté
• Gratitude	• Ingratitude
• Donner	• Prendre
• Chaleur humaine	• Froideur, être distant
• Choisir la joie	• Choisir la tristesse
• Satisfaction	• Insatisfaction
• Être responsable	• Être irresponsable
• Abondance intérieure	• Pauvreté intérieure
• Honnêteté	• Malhonnêteté
• Cohérence	• Incohérence
• Modèle bienveillant	• Modèle malveillant
• Paroles aimantes	• Paroles non aimantes
• Actions aimantes	• Actions non aimantes
• Lâcher prise	• S'agripper, s'entêter
• Être respectueux	• Être irrespectueux
• Relation nourrissante	• Relation appauvrissante
• Être conscient des conséquences	• Être inconscient des conséquences
• Intégrité	• Tromperie
• Confiance en soi	• Humiliation, honte
• Être conscient du présent	• Ruminer le passé, anticiper le futur
• Voir le Beau	• Voir le négatif
• Confiance en l'Autre	• Méfiance

• Ouverture	• Fermeture
• Compassion	• Indifférence
• Partage	• Égoïsme
• Appréciation	• Dépréciation
• Acceptation	• Rejet
• Conviction	• Doute
• Engagement	• Non-engagement
• Humilité	• Orgueil
Gains: résultats heureux	Pertes: résultats malheureux

Nous ne vous apprenons rien en disant qu'il est plus facile de vivre dans le Bonheur que dans le malheur. Alors, pourquoi nous compliquer la vie à essayer d'être heureux en recherchant des plaisirs extérieurs qui vont toujours nous décevoir plutôt que de consciemment arrêter notre choix sur le lâcher-prise de tout ce qui perturbe notre paix et notre joie intérieures? Serait-ce que nous avons été conditionnés à croire que certains éléments extérieurs peuvent conduire au Bonheur? La majorité d'entre nous ont emprunté cette direction et nous nous réveillons déçus, frustrés, tout en continuant à y mettre beaucoup d'efforts, alors que cela ne mène nulle part. Nous idéalisons un monde meilleur en rêvant à la paix. Comment créer cette paix universelle quand elle n'est pas établie à l'intérieur de chacun de nous? Lorsque je l'aurai trouvée en Moi, elle s'étendra pour se refléter dans le monde.

Établir clairement la valeur de ce qu'est le Bonheur pour Moi orientera ma volonté vers un but élevé et élevant.

Découvrir la valeur du trésor

L'enfant prodigue

Déjà, plusieurs connaissent cette histoire. Revisitons-la à la lumière de l'importance de la relation et du trésor qu'elle contient. L'amour, le sentiment le plus pur et le plus innocent que nous connaissions, fait bel et bien partie de moi. Il peut arriver que je m'en éloigne à un tel point que je le perde de vue. Ne le reconnaissant plus, trompé par mille autres visages qui font maintenant partie de ma vie quotidienne, j'ignore souvent ce trésor que, pourtant, je considère comme ce qu'il y a de plus cher à mes yeux. Ne prenons pas inutilement le risque de vivre toutes les répercussions et les souffrances que notre éloignement pourrait provoquer. Ne faisons pas l'erreur d'attendre nos derniers jours et de regretter de ne pas avoir accordé de l'importance à ce qui est là, près de nous, et apprécié sa grandeur.

Un homme très riche possédait de grandes terres qu'il cultivait, aidé de ses deux fils. Un jour, l'un d'eux, qui n'aimait pas beaucoup cultiver la terre, demanda à son père s'il pouvait lui léguer sa part d'héritage pour partir vivre à la ville. Malgré la peine qu'il ressentit, son père, qui l'aimait beaucoup, accepta volontiers de lui accorder la moitié de sa fortune. Le jeune garçon partit et en peu de temps dilapida toute sa richesse. On dit même qu'il était tellement pauvre, dépourvu et mal en point qu'il vivait avec des porcs. Les gens de la ville lui rapportaient que son père s'ennuyait beaucoup et qu'il désirait le voir revenir à la maison. Un jour, au bout de ses forces et reconnaissant son erreur, il décida, malgré toute la honte qu'il ressentait, de retourner chez lui. Lorsque le père aperçut son fils en haut de la colline, une grande joie s'empara de lui et il demanda à ses serviteurs de préparer un festin et d'apporter les plus beaux vêtements pour son enfant qui était vêtu de lambeaux. Les bras tendus, il courut à sa rencontre pour l'accueillir et ses mains se posèrent sur ses épaules comme pour l'apaiser de sa souffrance et le sécuriser. Le fils, étonné de ce grand accueil, demanda: «Comment se fait-il que malgré que j'aie dilapidé ton trésor, tu ne m'aies pas abandonné et répudié?» Et son père de lui répondre: «Mais voyons, mon fils, mon trésor, c'est toi!»

On constate dans cette histoire que le papa avait réalisé la valeur de son véritable trésor. Le plus important, c'est l'amour que je me donne et celui que je donne à l'Autre. Si je le considère ainsi, le reste me sera donné par surcroît. Si c'est le surplus que je recherche et que je veux atteindre en premier, je perdrai tout.

Communiquer mes vraies valeurs, «les vraies affaires»

Les enfants ne sont pas dupes. Quand ils ressentent le vrai, le Bon et l'aimant, ils adoptent généralement nos croyances. J'arrête donc de faire ce qui est le contraire de mes vraies valeurs. Ils aiment être avec le vrai. «Les vraies affaires», c'est agir dans le sens de ce qui a de la valeur pour moi – le sens des responsabilités, le respect, l'élévation, l'Estime de Nous ainsi que les gestes suivants: donner en premier, vivre le Bon Bon Bon, agir avec des Actions Aidantes Aimantes. Là on peut dire que «je suis en affaires» avec eux. Je suis dans une manière d'être aimante, je porte les valeurs qui me sont chères.

Une vraie valeur, c'est grand, incommensurable, permanent, durable, constant, immuable; ça unit, construit, se multiplie, apporte la joie, la paix et c'est signifiant parce que c'est aimant. Nous pouvons toujours y avoir accès parce que c'est à l'intérieur de nous. À l'inverse, ce qui est sans valeur est mesurable, impermanent, inconstant, décevant, destructeur, conflictuel; ça divise, c'est «in-signifiant» et ça apporte le chaos à l'extérieur.

Une vraie valeur, c'est inestimable (ça ne peut se mesurer à cause de sa grandeur) et ça se transmet de génération en génération. C'est ça, le Nous, ça s'étend et ça s'étend.

Je reconnais la grandeur de mes vraies valeurs.

Investir dans des valeurs qui ne me quitteront jamais

Je suis intègre, je prends soin de Nous. Ma communication empreinte d'honnêteté et de sincérité s'harmonise avec mes pensées. En tant que parent, je peux être le créateur concret des valeurs qui sont importantes pour moi – être bon, être doux, partager –, et c'est ce que je verrai s'épanouir dans ma famille.

Le parent guide et complice est dans une manière d'être douce. Sa relation avec ses enfants est importante. Il nourrit le trésor intérieur en partageant et en révélant à quel point sa famille est son cœur, son noyau, et à quel point ses enfants sont précieux pour lui. Ainsi, ils peuvent ressentir leur valeur (le précieux de ce qu'ils sont).

Je leur dis :
- « Ma famille, c'est important pour moi. »
- « Mes enfants, c'est important pour moi. »
- « Je veux que nous soyons heureux. »
- « Je veux que ma famille soit en sécurité. »
- « Je veux que mes enfants ne manquent de rien. »

J'agis dans le sens de mes valeurs et je suis un modèle aimant qui ne se contredit pas par rapport à ce qu'il veut transmettre ; j'arrête donc d'agir en faisant des actions contraires à mes valeurs.

Je suis convaincu et convaincant :
- J'aimerais que mon enfant soit toujours attentionné.

  Je suis *constant* : aujourd'hui je suis attentionné et demain je serai encore attentionné.

- J'aimerais qu'il ne fasse jamais de colère.

  Je suis *cohérent* : j'exprime ce que je vis tout en étant maître de mes émotions.

- J'aimerais qu'il fasse plus d'activités.

  Je suis *conséquent* : je fais des activités avec lui.

- J'aimerais qu'il soit près de moi et qu'il collabore.

  Je suis *confiant* : il me sent solide et je le soutiens quand il a besoin de moi.

- J'aimerais qu'il soit toujours respectueux.

  Je suis *convaincu* de notre valeur : je me respecte et je le respecte.

- J'aimerais qu'il fasse ses devoirs de lui-même.

  Je suis *consentant* : je suis engagé et responsable.

- J'aimerais qu'il ne soit pas arrogant.

  Je suis un guide *complice* : je suis humble et aimant.

Investir dans des valeurs qui ne le quitteront jamais

Je fais énormément pour mon enfant. Je le porte toujours dans ma tête et dans mon cœur. Il est donc un trésor pour Moi. Comment lui démontrer mon amour et mon intérêt ? Cela devrait être facile, puisque je déborde d'amour pour lui ! Mais concrètement, comment est-ce que je fais cela ? J'investis en lui démontrant de l'intérêt, en m'intéressant à lui, à ce qu'il aime, à ce qui l'anime. Il prendra conscience de sa valeur, aura le goût d'adopter les mêmes valeurs que les miennes et d'apporter sa participation dans la relation.

Plus mes enfants ressentent leur valeur, leur importance, plus je crée une alliance entre Nous. Et je recevrai ce que je donne: petite valeur donne peu; grande valeur donne beaucoup.

Établissons la valeur du trésor

En général, lorsque nous parlons d'un héritage à léguer à nos enfants, nous parlons d'un legs en argent, concret et tangible. Nous sommes moins conscients d'un autre héritage qui, lui, est abstrait, invisible, mais pourtant essentiel à l'être humain, et qui se transmet à travers la relation. Nous devrions être convaincus que l'amour, quoique étant une notion abstraite, a des effets réels à l'extérieur, la vraie richesse extérieure étant le prolongement de la vraie richesse intérieure.

Lorsqu'un incident grave se produit dans notre vie, instinctivement les valeurs humaines et la valeur des liens que nous avons avec nos proches remontent en nous comme une évidence. Avoir de l'argent et beaucoup de biens matériels qui nous offrent sécurité et confort est légitime. Mais honnêtement, ils nous font souvent mettre les valeurs intérieures au deuxième plan et même aux oubliettes. Pourtant, il est possible de posséder les deux: richesse intérieure et richesse extérieure.

Même si tous ceux qui ont expérimenté la perte de biens matériels considérables nous confirment qu'ils ont réalisé l'importance d'acquérir une vie intérieure riche, nous repoussons ces témoignages du revers de la main et perdons toutes nos énergies dans l'acquisition d'objets, souvent même au détriment de notre santé, de nos relations véritables et d'un amour sincère et profond. Nous nous leurrons en nous disant que les valeurs intérieures sont importantes et que nous accomplissons ce qu'il faut pour les acquérir. Certes, nous le faisons, mais par petites miettes, croyant que cela est suffisant pour construire un réel trésor.

> Blanche possède une petite somme d'argent. Elle est sur son lit de mort. Ses enfants viennent rarement la visiter. Elle tient à leur laisser un héritage. Les problèmes affectifs d'une de ses filles la préoccupent. L'idée de lui téléphoner pour lui témoigner son amour lui traverse l'esprit, mais ne voyant pas la grande valeur de ce geste, elle n'ose pas. Elle mourra seule et léguera un peu d'argent à ses enfants (des miettes), somme qui suffira à chacun à payer son dernier compte de carte de crédit. Quel gâchis relationnel !

Examinons les tableaux relationnels ci-dessous. Supposons que je possède les attributs qui sont dans la colonne de gauche ; je peux les transmettre à mon enfant. La richesse de son être et sa personnalité lui permettront d'acquérir, s'il le désire, une grande richesse extérieure et de faire profiter d'autres personnes de sa bonne fortune intérieure et extérieure. Examinons maintenant la colonne de droite. À travers la relation, j'ai transmis à mon enfant des souffrances affectives. Même si je lui léguais un million de dollars, n'ayant pas les ressources intérieures pour assumer cette bonne fortune, soit il la dilapiderait en peu de temps, soit son insécurité l'empêcherait d'en profiter et d'en faire bénéficier les autres.

Si j'avais un héritage à léguer à mon enfant ?

Il est :	Il est :
• sûr de lui, doux ;	• peu sûr de lui, anxieux, dur ;
• déterminé ;	• laxiste ;
• joyeux ;	• triste ;
• confiant ;	• méfiant ;
• généreux ;	• égoïste ;
• respectueux ;	• irrespectueux ;
• patient, tolérant ;	• impatient, intolérant ;
• humble, simple ;	• orgueilleux, compliqué ;
• aimant, élevant.	• malveillant, abaissant.
Placement à intérêts composés	Pertes et faillite relationnelle

Héritage relationnel

Test des 8 C : des pistes pour nourrir mon trésor

Au chapitre 6, vous avez fait le test des 8 C (voir à la page 113). Vous avez évalué huit affirmations portant sur vous en indiquant un chiffre de 0 à 10, puis huit autres affirmations au sujet de vos proches. Reportez maintenant ces chiffres dans les endroits appropriés ci-dessous.

Selon le résultat obtenu à chacune des affirmations, appliquez pour chacun des C les pistes suggérées de manière évolutive, afin de tendre vers le chiffre 10, en vous faisant le don relatif à chacun de vos manques, et dès que vous le pourrez, faites ce même don aux vôtres. Comme vous le constaterez, il est essentiel de nourrir votre intérieur et celui de l'Autre pour que s'ancrent les racines de l'Estime de Nous. Si vous ne le faites qu'envers vous, vous ne pourrez en voir véritablement les effets bénéfiques dans votre vie. Vous ne pouvez être heureux si vous gardez pour vous seul l'abondance qui est là pour tous. N'attendez pas, appliquez ces pistes le plus rapidement possible.

1. Vous êtes constant à vous sécuriser en étant aimant et doux envers vous-même.

   Votre résultat : _____/10

   Moi : Me sécuriser en étant aimant et doux envers moi-même d'une manière constante.

   Son résultat : a) _____/10   b) _____/10   c) _____/10   d) _____/10

   L'Autre : Le sécuriser en étant aimant et doux envers lui d'une manière constante.

2. Vous êtes cohérent à vous gratifier en voyant le Bon en vous.

   Votre résultat : _____/10

   Moi : Me gratifier en voyant le Bon en Moi d'une manière cohérente.

   Son résultat : a) _____/10   b) _____/10   c) _____/10   d) _____/10

   L'Autre : Le gratifier en voyant le Bon en lui d'une manière cohérente.

3. Les conséquences de vos actions vous apportent en général joie et satisfaction.

   Votre résultat: ____/10

   Moi: Être content en étant satisfait de mes actions et heureux des conséquences.

   Son résultat: a) ____/10   b) ____/10   c) ____/10   d) ____/10

   L'Autre: Être content en étant satisfait de ses actions et heureux des conséquences.

4. Vous êtes conscient et présent à vous dans le ici et « main tenant ».

   Votre résultat: ____/10

   Moi: Être conscient et présent à moi dans le ici et «main tenant».

   Son résultat: a) ____/10   b) ____/10   c) ____/10   d) ____/10

   L'Autre: Être conscient et présent à lui dans le ici et «main tenant».

5. Vous avez confiance en vous, vous reconnaissez la force qui vous habite.

   Votre résultat: ____/10

   Moi: Être confiant en la force qui m'habite et croire en moi.

   Son résultat: a) ____/10   b) ____/10   c) ____/10   d) ____/10

   L'Autre: Être confiant en ses forces et croire en lui.

6. Vous avez la conviction de votre valeur. Vous vous accordez du temps et de l'importance.

   Votre résultat: ____/10

   Moi: Être convaincu de ma valeur en m'accordant du temps et de l'importance.

   Son résultat: a) ____/10   b) ____/10   c) ____/10   d) ____/10

   L'Autre: Être convaincu de sa valeur en lui accordant du temps et de l'importance.

7. Vous consentez à vous accepter en ne vous comparant pas. Vous aimez ce que vous êtes.

   Votre résultat : _____/10

   Moi : Être consentant à m'accepter en ne me comparant pas et m'aimer tel que je suis.

   Son résultat : a) _____/10   b) _____/10   c) _____/10   d) _____/10

   L'Autre : Être consentant à l'accepter en ne le comparant pas et l'aimer tel qu'il est.

8. Vous êtes un complice aimant envers vous-même. Vous êtes simple, vous n'êtes pas compliqué.

   Votre résultat : _____/10

   Moi : Être complice aimant envers moi-même dans l'humilité et la simplicité.

   Son résultat : a) _____/10   b) _____/10   c) _____/10   d) _____/10

   L'Autre : Être complice aimant envers lui dans l'humilité et la simplicité.

TROISIÈME PARTIE

LA PUISSANCE DU LIEN

Tout au long de la première partie de ce livre, nous avons :

- réalisé l'importance d'élever avec le soutien du Bon ;
- appris à choisir à la lumière des résultats ;
- appris à faire le tri et à choisir notre bien-être, à Moi et l'Autre – Nous ;
- mis en pratique un mode d'emploi relationnel quotidien, sept étapes concrètes, du réveil jusqu'au coucher, pour développer la constance du Bonheur ;
- appris à donner en premier et à recevoir ces mêmes dons ;
- découvert la puissance des 8 C, une voie rapide pour être heureux ;
- découvert l'importance de l'action.

Dans la deuxième partie, nous avons :

- compris que nous sommes l'Auteur de notre vie ;
- pris en charge notre bien-être ;
- appris à lâcher prise ;
- fait le choix conscient d'être en lien direct avec la Présence en nous ;
- appris à être conscients des effets de notre pensée et à l'orienter vers des pensées aimantes ;
- observé le miroir que l'Autre nous reflète ;
- vu l'importance et la puissance du modèle ;
- découvert la valeur du trésor.

Dans cette troisième partie, nous conclurons en enlevant la dernière barrière qui nous empêche d'accéder à la réussite d'une famille heureuse. *Lâcher prise complètement* sur le manque d'amour nous procurera ce que nous recherchons. Est-ce que je m'aime et est-ce que j'aime véritablement mes enfants, ou est-ce que je me raconte des histoires? Le véritable test, c'est lorsqu'une tuile nous tombe sur la tête et que nos beaux rêves s'écroulent comme un château de cartes, que nous sommes confrontés à des difficultés: l'hyperactivité de notre jeune, sa lenteur, ses colères, ses échecs scolaires, le rejet qu'il vit de la part des autres, son arrogance ou certains autres aspects difficiles ou dérangeants de sa personnalité. C'est à ce moment que l'acceptation inconditionnelle demande un réel dépassement de soi. Sommes-nous prêts à franchir nos propres limites pour basculer du côté de l'amour?

CHAPITRE 9

CÉLÉBRONS NOTRE FAMILLE

Célébrer notre famille, c'est la rendre «célèbre». C'est la mettre au centre de nos priorités. C'est nous arrêter et prendre le temps d'aimer ces êtres qui sont autour de nous et que nous côtoyons quotidienne-ment. C'est les regarder tels qu'ils sont, les accepter ainsi et les ap-précier. C'est ne choisir qu'une seule voie, celle de l'amour qui nous conduit directement à la réussite de notre vie de parents. C'est n'avoir qu'un seul but et le maintenir dans notre cœur.

Une vraie famille, c'est tricoté serré par le soutien de chacun. Notre plus grand désir en tant que parents, c'est un lien étroit entre nous et nos enfants, et entre eux. Une famille, c'est un foyer, un cœur qui bat, une flamme qui part très souvent d'un de ses membres qui a une conscience élevée de l'amour. Par sa chaleur, cette personne rallie et alimente le cercle familial et crée un sentiment de sécurité et d'appartenance où personne n'est mis à l'écart. Une famille, c'est précieux; ceux qui n'en ont pas ou qui la recherchent nous font réa-liser la grande valeur et la richesse de la puissance de ce lien.

Célébrons la force d'une famille unie, de l'abondance que ces liens nous offrent. Seul le fait de consentir à réaliser la réussite de notre vie familiale nous amènera à la satisfaction. Cet engagement, c'est ce qui nous donne l'espoir et nous ouvre la porte sur le monde que nous aimerions voir se transformer. La prochaine décennie sera une période de création de liens communautaires. Commençons par notre famille : célébrons et soyons aux premières loges de ce grand rassem-blement planétaire.

Pour accéder à la puissance du lien, faire le choix de l'amour, de l'abondance et de la réussite

L'amour

L'amour est un tout et est illimité. Si je prétends être une personne aimante, je ne peux dire que j'aime mes enfants et en même temps rejeter mon frère ou ma sœur. Pour accéder au Bonheur et à l'amour, je devrai faire le choix d'abandonner le rejet et la condamnation. Ne pas lâcher complètement prise sur les barrières que nous maintenons levées contre tous ceux qui nous entourent limite l'amour qui peut entrer en nous. C'est pourquoi le pardon joue un rôle de premier plan dans notre vie. Ce pardon doit être complet et s'appliquer à tous et à toutes les situations, pour que nous puissions faire un don d'amour réel à ceux qui nous sont chers. Le problème, c'est que nous limitons par nos jugements, et dès que nous avons peur, nous réagissons en levant d'autres barrières entre Nous et l'Autre. C'est pourquoi nous continuons à marcher sur une route chaotique.

Voici trois murs auxquels nous nous butons et qui, lorsque reconnus et compris, peuvent devenir faciles à contourner ou à dépasser.

La jalousie

J'ai peur qu'il me manque quelque chose et que l'Autre ait plus que moi. Je le perçois comme plus beau, plus doué, plus fort, plus intelligent, etc. Inconsciemment, je lui donne mon pouvoir en mettant mes énergies à le rejeter. Pourtant, si j'étais attentif, il serait évident pour moi que la beauté, les dons, la force et l'intelligence font bel et bien partie de moi dans une autre forme que je ne reconnais pas ou que je n'accepte pas. Lorsque je l'accepterai, je ne serai plus jaloux de l'Autre.

La honte

Je pense qu'il me manque quelque chose et j'ai honte de moi. Ou je pense qu'il manque quelque chose à un des miens et que cela me diminue.

J'ai peur que l'on me tienne responsable d'un aspect négatif d'un de mes enfants. J'ai honte et silencieusement, dans mon cœur, je le rejette et je lui en veux de ne pas changer et de ne pas être parfait.

J'ai peur que l'on sache que mon frère a tel ou tel défaut ou qu'il a une façon d'être qui ne correspond pas à mes valeurs. Je le rejette et je le condamne, alors que je me cache derrière mon perfectionnisme ou ma supériorité.

Lorsque j'accepterai que mes difficultés et celles des miens n'affectent pas ma valeur personnelle, je pourrai m'aimer, les aimer et être plus apte à nous aider.

La trahison

Je pense que l'Autre abuse de la confiance que je lui accorde. Je le rejette, alors que si je m'observe bien, il se peut que je trompe les autres à mon profit. Lorsque j'aurai dépassé ce sentiment d'être abusé, je pourrai accepter d'entrer en relation avec eux et reconnaître notre égalité.

× × ×

Dépasser nos réactions en les reconnaissant et en pardonnant est un pas qui nous permettra d'atteindre l'amour véritable. Plus nous irons au-delà de ces limites, plus nous serons des phares pour les nôtres.

Chacun des membres de ma famille est une partie de moi. Je m'efforce de n'exclure personne parce qu'en rejetant l'un d'eux, je m'exclus moi-même. Mes enfants, par leurs comportements de rejet et de compétition entre eux et avec les autres, sont souvent le reflet de mes manques d'inclusion.

L'abondance

L'abondance, nous la recherchons partout et nous croyons qu'elle est plus ou moins accessible, alors qu'elle est tout à côté de nous, beaucoup plus près que nous ne le croyons. L'abondance, c'est mon intérieur, ma famille, mes proches, mes amis, mes collègues. Tout un jardin florissant que je peux semer et entretenir par mes soins bien-veillants. Si j'accorde de la valeur au trésor qu'est ma famille, chaque moment vécu avec reconnaissance et le sentiment de plénitude que m'apportent les miens multipliera cette expansion vers l'extérieur pour rejoindre les autres, m'apportant l'abondance qui est là, à portée de la main, grâce à la puissance de ces liens.

La réussite

Tous nous courons après la réussite. Nous sommes comme sur un terrain de football, attendant que le porteur de ballon nous le lance afin d'accomplir quelque chose de grand et de nous élancer vers le but: notre réussite. Et pourtant, j'ai le ballon – l'amour – entre les mains et lorsque je rejette quelqu'un, c'est comme si je perdais toute cette puissance du lien, ce qui m'empêche d'atteindre mon but. C'est alors que je me sens coupable; j'ai honte et je me rejette en même temps.

Lorsque j'ai compris et dépassé la barrière du rejet, les autres sont attirés vers moi, je deviens un «aimant». Ils contribueront à ma réussite et je participerai à la leur. N'oublions pas que pour que j'atteigne le succès, mon champ doit s'ouvrir à tous, sans aucune exception. Si je laisse derrière moi une seule exception, un équipier, je ne pourrai jamais atteindre cette vraie réussite.

Lorsque nous franchissons cette étape d'acceptation, au lieu d'avoir le sentiment de vivre une perte, nous ressentons un grand détachement qui se répercute dans plusieurs autres aspects de notre vie. Une paix intérieure extraordinaire nous habite. Elle nous permet d'agir avec amour et de ne plus vivre des situations malheureuses, ou de dire des paroles blessantes où l'Autre, incluant notre enfant, vit du rejet, se sent seul, affecté parce qu'il ressent qu'il ne correspond pas à nos attentes. Au lieu de vivre la grande joie d'être aimé de son papa ou de sa maman, ce dernier vit la tristesse de décevoir.

Je n'accepte pas que mon fils soit homosexuel. Ce tabou m'empêche de l'aimer et de pouvoir entrer en relation avec lui. Je ne fais pas de place à l'ouverture dans mon esprit. De plus, mon orgueil passe avant lui et ne me permet pas d'avoir une autre vision qui pourrait nous rapprocher et mettre fin à nos souffrances.

Chacun a droit à l'amour, et lorsque nous nous coupons des autres, nous ne réalisons pas à quel point nous nous sabotons nous-mêmes. Nous ne sommes pas conscients non plus de l'impact de nos jugements, comme notre attitude répressive envers notre conjoint ou à l'égard des interventions malhabiles de la mère ou du père de nos enfants dont nous sommes divorcés, par exemple.

Sara et Robert, des ex-conjoints, ne s'entendent pas sur l'éducation et les valeurs qu'ils veulent transmettre à leurs enfants. Sara nourrit du ressentiment envers Robert parce qu'il leur permet tout. Elle trouve qu'il n'encadre pas suffisamment ses enfants. De son côté, Robert pense que Sara est trop autoritaire et qu'elle les brime. Ces parents n'arrivent plus à s'accepter et à communiquer sainement. Chaque fois qu'ils en ont l'occasion, ils s'adressent mutuellement des reproches, ce qui se répercute sur leurs enfants. Pourtant, Sara voit bien que Robert manifeste plusieurs gestes de bienveillance envers ses enfants, tout comme Robert sait que Sara est une excellente mère. Mais tous les deux ont choisi, bien que ce soit inconscient, de maintenir leurs jugements et leurs positions. Lâcher prise complètement sur le négatif et accepter avec confiance de mettre l'accent sur le Bon de chacun pourrait transformer cette situation malsaine en une relation de complicité pour le bien-être de tous. Le secret qui permettrait d'amorcer cette transformation serait qu'un des deux accepte de donner en premier.

Septième accélérateur de transformation : être consentant

Consentir, c'est accepter que quelque chose se fasse, c'est donner notre autorisation et notre assentiment, c'est dire un grand oui à l'intérieur de nous, c'est nous engager à atteindre l'objectif que nous nous sommes fixé sans nous créer *aucune opposition*. C'est dépasser notre zone de confort. Consentir à atteindre le Bonheur constant pour moi et les miens, c'est arrêter de croire au sacrifice de l'amour. C'est accueillir et refuser de juger ce qui est là, présentement. C'est autoriser notre fleur à devenir un fruit.

L'inverse, c'est nous mettre des interdictions, nous limiter et nous résigner à un champ de perception étroit qui nous empêche même d'imaginer notre famille pleinement heureuse. C'est voir le Bonheur possible pour certains seulement, sans nous inclure parmi ces élus. C'est continuer à croire que l'atteinte du Bonheur sera dans le futur et c'est mettre un frein à notre évolution.

Consentir, c'est m'engager envers moi et les miens. Je n'ai à faire ce choix véritable qu'une seule fois et par la suite, je renouvellerai mon engagement en étant vigilant à la promesse que je me suis faite parce que je sais au plus profond de Moi que c'est ce que je cherche et que c'est bon. Au début d'une union, lorsqu'on est jeune et insouciant, il est facile de consentir à l'engagement. Après un certain temps, il est préférable de *consciemment* renouveler cet engagement, que ce soit envers son conjoint ou ses enfants.

L'acceptation

Pour développer notre estime personnelle et l'estime personnelle de nos enfants – l'Estime de Nous –, il est impératif de refuser catégoriquement les jugements, les reproches et les comparaisons qui contaminent notre vie et nos relations. Les moyens suggérés pour développer notre estime personnelle seront inutiles et ne pourront créer aucun ancrage de Bon tant que nous continuerons à juger, à faire des reproches et à comparer.

Ces attitudes annulent automatiquement le Bon que nous tentons de cultiver en nous ou chez les nôtres. Prenez la décision ferme de faire votre dernier jugement, qui sera de constater que juger ne représente que votre propre condamnation. L'acceptation de l'inutilité de cette arme apporte la libération. Accepter, c'est aimer. Juger, c'est rejeter, c'est évaluer une partie de nous ou de l'Autre comme coupable. Cette dévalorisation de soi ou de l'Autre nous empêche d'avoir une estimation élevée de celui qui est jugé, et ainsi nous faisons disparaître sa valeur de notre esprit en refusant son existence. Accepter, c'est simplement consentir à réaliser notre valeur et celle de l'Autre.

Si, par habitude, les jugements montent en nous, apprenons à rire de ces programmations sans intérêt que nous avons inconsciemment adoptées depuis notre enfance et qui font partie de notre vie. Ce sont des baguettes magiques que l'on agite, croyant qu'elles nous protégeront et qu'elles feront disparaître la source de nos peurs.

Les alliances

Lorsque nos tours de magie ne suffisent pas et que nous croyons que notre pouvoir n'a pas assez de force, nous cherchons à créer des alliances autour de nous pour justifier et amplifier ce pouvoir et l'impact que nous aurons sur une personne jugée plus forte ou plus faible parce que nous avons l'intention inconsciente de l'écraser. Ces alliances secrètes se forment souvent inconsciemment entre les parents contre un enfant, ou entre les enfants eux-mêmes. «Diviser pour régner» est une illusion qui génère des conflits qui se perpétuent et minent la vie familiale. Créer ces alliances que l'on appelle négatives se retourne toujours contre nous. Servons-nous de notre raison et de notre discernement pour mettre fin à ces jugements.

CHAPITRE 10

ÊTRE COMPLICE AIMANT

Huitième accélérateur de transformation : être complice aimant

Le complice aimant est celui qui a mis son orgueil de côté. C'est le parent humble et aimant qui a fait le parcours en expérimentant le Bon et le mauvais ; s'appuyant sur les résultats, il ne choisit que le Bon. Le complice aimant est celui qui avance et qui accepte d'être aidé par le guide dès qu'il vit une difficulté. Il apporte sa complicité en tout temps et devient un modèle pour tous. Il s'implique et implique son enfant pour lui permettre le plus tôt possible de développer ses potentiels et de participer à la réussite familiale. Lorsqu'on le croise avec son enfant, on ne peut que le remercier intérieurement pour la Bonté et la Beauté qui émanent de lui. N'est-ce pas inspirant de rencontrer deux êtres chez qui on remarque une belle complicité ? N'est-ce pas élevant pour l'homme et l'humanité ? Maintenant, les mots sont superflus pour décrire le complice aimant. Il vous reste à le faire en étant l'Auteur d'une vie de famille heureuse.

L'implication véritable

Comme nous avons pu le constater, l'implication véritable ne s'obtient pas par une méthode autoritaire ou une méthode permissive. Elle provient directement d'un *engagement profond* du parent dont la manière d'être stimule l'intérêt de l'enfant à participer. À l'inverse, les anciennes façons de faire menaient directement aux conflits et à la non-participation de l'enfant. Pour obtenir sa collaboration, le parent doit développer un but commun dans lequel l'enfant aura de l'intérêt autant que le parent. Tous les deux seront gagnants, ce qui nous amène à penser qu'une relation guide et complice sera des plus bénéfiques parce qu'elle est équilibrée.

Pour atteindre cette dernière étape, le parent guide et complice aimant développera ces qualités: être un modèle des valeurs qu'il veut transmettre, donner de l'importance à son enfant, lâcher prise sur tout ce qui est non aimant, dédramatiser, prendre du recul pour être conscient, se révéler, partager avec respect Moi et l'Autre – Nous, écouter véritablement, donner à son enfant le crédit des réussites, être responsable, accepter et s'engager.

Impliquer, c'est:

- dire les bons mots qui invitent à participer.
  - «J'aimerais que tu m'aides à étendre le linge.»
  - «Donne-moi ton avis.»
  - «Qu'en penses-tu?»
  - «Que préfères-tu?»
  - «Tu as une idée fantastique!»
  - «C'est chouette de s'entraider!»
  - «Cela me fait plaisir d'avoir ton soutien.»
  - «Merci!»
  - «Je ressens beaucoup de plaisir à faire des choses avec toi.»
  - «Cela m'apporte beaucoup!»
  - «J'aimerais avoir ton avis: quelle robe devrais-je porter ce soir?»
  - «Pendant que je finis le repas, je te laisse mettre la table. C'est toi qui choisis la nappe...»
- faire une activité «juste nous deux» selon ses champs d'intérêt.
  - On bricole, on répare, on jardine, on cuisine, on magasine, on va au zoo, on visite les antiquaires; on fait de l'équitation, du tir à l'arc, du karting, du basketball, du patin, de la natation, de la plongée sous-marine, du camping, de la chasse aux papillons; on cueille des fraises, des pommes; on fait de l'astronomie, on visite des grottes, on collectionne (timbres, papillons, monnaies, toutous, bouchons), on prend le petit déjeuner au

restaurant, on fait des activités saisonnières (plage, ski, forêt, balades), etc.

- Le samedi, on fait une activité ensemble à son choix: de la bicyclette, aller chez grand-maman, etc.
- L'enfant s'occupe de mettre l'argent dans le parcomètre.
- À l'épicerie, il additionne le total des achats sur une calculatrice.
- On fait le ménage sur une musique choisie par lui. On chante, on danse.
- Le matin, on fait les lits ensemble, on joue à celui qui est capable de s'habiller dans un temps record, aidés du sablier ou de la minuterie.

• tenir compte de ses propositions.
  - Je lui demande son avis concernant divers éléments du vécu familial.
  - Je lui remets une feuille de propositions.
• donner le choix selon les possibilités.
  - L'enfant choisit l'ordre des éléments de la routine du soir: bain, pyjamas, brossage de dents, histoire, musique douce, etc.
  - Il choisit ses légumes ou ses fruits préférés.
  - « Quand tu fais une colère, comment aimerais-tu que j'intervienne? Veux-tu que je te prenne dans mes bras ou que j'attende que tu aies terminé? »
  - « Tu aimerais mieux faire tes travaux scolaires le matin! On essaie! »
  - « Entre quelle heure et quelle heure aimerais-tu que nous mangions? » (Parfois, il suffit de déplacer l'heure du repas de trente minutes pour vivre plus de calme.)
  - « Qu'aimerais-tu que je fasse pendant tes travaux scolaires? Que je m'assoie près de toi? Que je m'éloigne et que je vérifie à la fin, tout simplement? »
  - « Aimerais-tu choisir le matériel (la sorte de crayons, les feuilles, etc.)? »

S'impliquer, c'est s'engager concrètement.

Être guide et complice, c'est lâcher le personnage, le stéréotype du rôle de parent qui se met trop de pression et qui n'arrive pas à se détendre. C'est être simple et avant tout entrer en relation entre Nous, parce que la communication passe par la relation.

Ce parent aimant est un être de relation et sa communication aimante s'étend à tous. Il ne choisit que ce qui l'amène à l'amour véritable de lui-même et des siens. Ses semences créent un climat de sécurité où chacun prend soin de lui-même et des autres. C'est ça une grande famille heureuse!

ÉPILOGUE

Cet enseignement est un guide simple qui permet d'atteindre un équilibre personnel et familial.

Comment développer l'Estime de Nous est un livre de transformation hautement individuel ; il répond aux attentes des parents qui désirent atteindre une véritable estime de soi qui ne s'acquiert que par l'Estime de Nous, pour le bien d'une famille universelle : ce monde dans lequel nous vivons et pour lequel nous ne voulons que du Bon.

Nous avons écrit cet ouvrage parce que nous rencontrons des parents et beaucoup de jeunes qui, tout comme vous, ont une conscience élevée et sont prêts à apporter des changements dans leurs propres vies. Ils ont comme nous en tant qu'auteurs la même aspiration : transmettre un héritage d'une grande valeur à leurs enfants.

Nous espérons que ce livre vous accompagne et vous serve de référence. Utilisez-le comme livre de chevet à lire et relire pour atteindre le Bonheur.

CHARTE DE L'ESTIME DE NOUS

(Hélène Renaud et Michel J. Bergeron)

L'individu qui tend à vivre dans l'Estime de Nous adopte les manières d'être suivantes :

- Est responsable :
  - conscient que tout part de lui,
  - conscient qu'il est l'Auteur de sa vie,
  - n'accuse pas les autres ni les événements ;
- Prend en charge son bien-être, tout ce qui est bon pour lui, bon pour l'Autre et bon pour la relation entre Nous : Moi et l'Autre – Nous (tous) ;
- Est aimant : il n'accepte que ses pensées aimantes, conscient que causes et effets sont indissociables ;
- Est élevant ;
- A une vision de la grandeur de ce qu'il accomplit ;
- Prend des décisions fermes et fait des choix conscients, uniquement pour le Bon ;
- Prend des décisions en relation constante avec la Présence en lui (son Coach de vie personnel) ;
- A des intérêts communs avec l'Autre :
  - établit une relation d'égal à égal,
  - est humble, conscient d'être pareil à l'Autre,
  - donne en premier ;

- Refuse les jugements et les comparaisons, refuse d'attaquer, lâche prise ;
- A une seule fonction : être heureux.

L'objectif recherché dans l'Estime de Nous est de faire un pas pour élever sa conscience afin de guérir ses souffrances.

L'individu qui tend à vivre dans l'Estime de Nous a les attributs suivants :

- Est constant à vivre la douceur et la joie ;
- Est cohérent : ses pensées, ses paroles, ses gestes et ses actions sont honnêtes et concordants ;
- Est conséquent : il agit en fonction de son but, le Bon ;
- Est conscient : présent ici et « main tenant » ;
- Est confiant en la force qui l'habite, est ouvert ;
- Est convaincu des valeurs qu'il porte et du pouvoir de sa volonté ;
- Est consentant à réussir et accepte l'abondance en lui ;
- Est un complice aimant envers lui-même et envers l'Autre. Il accompagne le guide dans l'humilité.

REMERCIEMENTS

Notre gratitude va vers Huguette Ricard, qui a généreusement apporté sa contribution à la correction des textes. De plus, ses commentaires judicieux ont su nous guider pendant toute la rédaction de ce livre.

Nous remercions aussi Nicole Gagné, Josée Roy et Annie Dulude pour leur participation en tant que lectrices.

Toute notre reconnaissance va également à notre équipe de formateurs qui, avec leur grand dévouement, offrent l'enseignement des formations « Parent-guide, Parent-complice » et « Développer l'Estime de Nous ».

Un merci particulier à nos enfants: Marie-Hélène, Francis et Alexandre.

FORMATIONS ET CONFÉRENCES

- Parent-guide, Parent-complice
- Éducatrice, éducateur-guide, Éducatrice, éducateur-complice
- Enseignant-guide, Enseignant-complice
- Famille au Grand Cœur

NOUVEAUTÉS

Développer l'Estime de Nous, Parents-enfants
Développer l'Estime de Nous, Couples
Développer l'Estime de Nous, Développement personnel
Développer l'Estime de Nous, Entreprises

Pour organiser ou assister à une formation ou à une conférence,
consultez le site www.commeunique.com.
Tél.: 450 461-2401

TABLE DES MATIÈRES

UNE FAMILLE 7

AVANT-PROPOS 9

INTRODUCTION 11
Fini la culpabilité ! 13
Les buts 14
La pierre d'assise : le Bon 17
Les piliers relationnels 17

PREMIÈRE PARTIE
L'ESTIME DE NOUS

CHAPITRE 1
METTONS EN LUMIÈRE L'ESTIME DE NOUS 23
Moi et l'Autre (tous) 23
La lumière de l'élévation 27
Choisir à la lumière des résultats 33
L'important d'abord 37
Nourrir notre vie de Bon Bon Bon 41
Pour ne vivre que du Bon, faire le choix de la douceur,
de l'honnêteté et de l'intégrité 44

CHAPITRE 2
MODE D'EMPLOI RELATIONNEL QUOTIDIEN POUR DÉVELOPPER
L'ESTIME DE NOUS 47
Sept étapes 48
Exercice d'appréciation et de gratitude 57

CHAPITRE 3
NOURRIR L'ESTIME DE NOUS.. 61
Donner.. 61
Donner en premier... 61

CHAPITRE 4
UNE VOIE RAPIDE POUR ÊTRE HEUREUX : HUIT ACCÉLÉRATEURS
DE TRANSFORMATION.. 81
Premier accélérateur de transformation : être constant.................... 84
Deuxième accélérateur de transformation : être cohérent............... 86
Troisième accélérateur de transformation : être conséquent........ 88
L'importance de l'action.. 92
Refaire le monde.. 97
Ma maison.. 97

DEUXIÈME PARTIE
JE SUIS L'AUTEUR DE MA VIE

CHAPITRE 5
JE PRENDS EN CHARGE MON BIEN-ÊTRE.. 103
Responsable ou irresponsable ?... 103
Lâcher prise... 104

CHAPITRE 6
VIVRE CONSCIEMMENT.. 109
Quatrième accélérateur de transformation : être conscient........... 109
Ne plus vivre inconsciemment : faire le choix de la Présence....... 111
Test des 8 C... 113
Être conscient des effets de mes pensées et de mes jugements... 117
La folie de l'ego !... 125
Même forme ou forme différente ?.. 132

CHAPITRE 7
REMETTRE L'AMOUR ET LE RESPECT ENVERS SOI ET
ENVERS L'AUTRE AU CŒUR DE LA RELATION..................................... 145
Choisir de ne plus souffrir.. 145
Cinquième accélérateur de transformation : être confiant........... 150
L'importance et la puissance du modèle... 155

Pour développer la confiance, faire le choix de l'ouverture,
de la compassion et du partage.. 162

CHAPITRE 8
LE TRÉSOR.. 179
Sixième accélérateur de transformation : être convaincu............. 179
Découvrir la valeur du trésor... 183
Test des 8 C : des pistes pour nourrir mon trésor......................... 189

TROISIÈME PARTIE
LA PUISSANCE DU LIEN

CHAPITRE 9
CÉLÉBRONS NOTRE FAMILLE.. 197
Pour accéder à la puissance du lien, faire le choix de l'amour,
de l'abondance et de la réussite... 198
Septième accélérateur de transformation : être consentant.......... 201
L'acceptation 202

CHAPITRE 10
ÊTRE COMPLICE AIMANT.. 205
Huitième accélérateur de transformation :
être complice aimant.. 205
L'implication véritable.. 205

ÉPILOGUE... 209

ANNEXE
CHARTE DE L'ESTIME DE NOUS 211

REMERCIEMENTS... 213

FORMATIONS ET CONFÉRENCES.. 215